THERESA CHARLES

un homme se cache

traduit de l'anglais par Evelyne STAUFFER

Éditions J'ai Lu

Ce roman a paru sous le titre original :

THE FLOWER AND THE NETTLE

© Theresa Charles, 1973
Pour la traduction française :
© Éditions de Trévise, 1975

1

– C'est un homme tranquille; es-tu certaine de ne pas te tromper? dit ma tante d'un ton sceptique.

– Quel mal y a-t-il à être tranquille? T'attendrais-tu à me voir choisir un extraverti tapageur, un m'as-tu-vu vantard qui gaspille l'argent à tous vents?

J'étais sur la défensive. J'allai conclure : « Je ne suis pas ma cousine Alison », mais je me retins à temps. Je ne voulais pas ramener ma tante sur cette piste maudite, qui ne menait nulle part.

– Il n'y a pire eau que l'eau qui dort, me rappela tante Clara, ajoutant, comme si elle avait deviné ma pensée : Je ne suis toujours pas convaincue qu'il ait raconté tout ce qu'il savait au sujet d'Alison... à nous... et à la police.

Je m'efforçai de rester calme. J'avais bien prévu sa réaction et c'était pourquoi j'avais tenu à annoncer moi-même notre mariage à ma tante. J'avais fait de mon mieux pour dire la chose doucement, sans la heurter; mais elle savait être obtuse quand elle le voulait. J'avais fini par lancer ma phrase brutalement. Elle ne s'en était pas montrée choquée ni même surprise. Elle m'avait simplement regardée... comme si je venais de lui avouer avoir cassé son service à thé en précieuse porcelaine de Derby.

Je ne connaissais que trop ce regard sous lequel

je me sentais si maladroite, coupable et si peu sûre de moi. Ma tante avait toujours eu le don de me regarder ainsi, dès le moment où elle m'adopta. J'avais alors sept ans et je venais de perdre mes parents. Mon comportement décevait profondément ma tante. Pourquoi? Je pensai d'abord que c'était parce que je n'étais pas et ne pouvais pas être comme Alison, sa fille unique adorée. Je m'étais révoltée en secret contre cette injustice. Etait-ce ma faute si je n'avais pas cette chevelure blonde, ces yeux bleus, ce charme et cet esprit innés? Pourquoi me comparait-elle constamment à ma cousine?

Plus tard, je m'étais demandé si son attitude envers moi n'était pas tout bonnement due au fait que j'étais la fille de mon père. C'est Alison qui m'avait mis cela dans la tête.

– Quoi que tu fasses, tu ne gagneras pas, chère petite cousine. Certaines personnes peuvent pardonner et oublier. Pas ma mère. Elle était folle de ton père – et tout le monde pensait qu'il était fou d'elle. Et puis... il rencontra sa petite sœur – ta mère – et ce fut terminé pour la mienne. N'étais-tu pas au courant?

Alison parlait d'un ton sarcastique teinté de cette malice qui épiçait toujours ses boutades les plus spirituelles. Stupéfaite, j'avais protesté :

– Non, je ne savais pas... mais il y a des années de cela; et, de toute façon, tante Clara s'est mariée avant ma mère. Maman était sa demoiselle d'honneur. J'ai vu une photo...

– Oui, bien sûr. Pour « sauver la face » comme on dit. Jamais entendu parler de cela? Un grand mariage, un mari avec titre et résidence campagnarde... et on trouvait qu'elle s'était bien débrouillée, au lieu de s'apitoyer sur cette « pauvre Clara ». J'aurais fait la même chose à sa place. Seulement voilà... ce n'était pas ce qu'elle avait voulu... deux fois son âge, quelques broutilles en numéraire et une propriété substituée.

A l'époque, je ne savais pas ce qu'on entendait par « propriété substituée », et Alison me l'avait expliquée avec une condescendance furieuse.

– Tu ne peux pas hériter parce que tu es une fille et pas un garçon?

– Cela ne me semble pas juste, avais-je risqué.

– Juste? Qu'est-ce qui est juste? Quand ce digne père s'est tué à la chasse, son frère cadet est entré inopinément en possession du titre et de la succession. Il avait une femme et trois enfants et ladite femme n'avait aucune inclination pour ma mère ni pour moi. Il n'a pas pu mettre la main sur la prime d'assurance-vie ni sur les bijoux; ma mère avait persuadé mon père que c'était un bon placement. Nous ne nous en sommes pas trop mal sorties grâce à la prévoyance de ma mère, acheva Alison non sans une pointe de triomphe dans la voix.

Je n'avais jamais entendu ma cousine exprimer le moindre chagrin devant la mort subite et prématurée de son père. Elle avait alors six ans, mais elle semblait n'avoir gardé que peu de souvenirs de lui. Bien des années plus tard, j'ai pensé qu'elle les avait bannis délibérément de sa mémoire. En dépit de sa beauté irréelle et de sa féminité incontestable, Alison était pratique et forte, elle se souciait peu de ce qu'elle appelait la sentimentalité.

– Tu étais une aubaine, bien sûr, tu n'avais que nous, et tout ce bel argent. Seulement, tu ne pouvais pas pour autant demander à ma mère de t'aimer.

J'avais repris en écho :

– Ce bel argent? Quel argent? Nous vivions dans une maison bien plus petite que celle-ci et maman a toujours dû économiser pour les achats de quelque importance.

– L'indemnité, naturellement, petite sotte! Le

çonducteur s'était endormi au volant. Le car s'est retourné et quatre personnes ont été tuées. Etant donné que l'homme avait conduit plus longtemps que le prescrivait le règlement, la compagnie a dû verser des indemnités substantielles aux familles des victimes. Ma mère a touché un gros paquet... et elle s'est fait instituer légalement ta tutrice. Fais-lui confiance!

Je devais avoir à peu près neuf ans à cette époque et je n'avais pas vraiment compris toutes les implications de l'affaire. Ce n'est qu'au fil des années que je me rendis compte que c'était la rente provenant des fonds déposés qui nous permettait de vivre à l'aise au Vieux Presbytère; tante Clara l'avait acheté à moitié en ruine pour une bouchée de pain avec l'argent de l'assurance-vie de son mari. Les murs lui appartenaient, mais les aménagements qu'elle y avait affectués avaient été payés grâce à ces fonds en dépôt. La curatelle se composait de tante Clara, de son notaire et du directeur d'une banque locale... en théorie du moins.

Tante Clara avait coutume d'en référer aux « curateurs » comme s'ils étaient les arbitres de mon destin, aucune acquisition ne pouvant se faire sans leurs approbation et consentement. En fait, j'avais découvert tardivement que tante Clara avait toujours su embobiner ses collègues. Hommes aimables et consciencieux tous deux, jamais ils ne m'avaient témoigné d'intérêt personnel. Ils faisaient leur devoir en sauvegardant mes intérêts financiers. Pourquoi se seraient-ils souciés de savoir si j'étais heureuse ou non?

Sans doute auraient-ils été indignés si quelqu'un leur avait insinué que ma charmante tante et ma délicieuse cousine ne faisaient peut-être pas le maximum pour me donner une vie de famille heureuse.

Certes, j'avais été bien nourrie, confortablement

logée, habillée avec goût, et j'avais reçu une bonne éducation. Que ma vie ait manqué de chaleur, que j'aie pu souffrir de l'absence d'une affection véritable, que je n'aie pas éprouvé ce sentiment « d'appartenance », voilà qui ne pouvait effleurer ces deux hommes d'âge mûr et comment aurais-je pu espérer leur en faire prendre conscience? Les privations corporelles sont visibles. Peut-être faut-il être un psychologue, ou une femme possédant un instinct maternel, ou bien encore un amoureux, pour deviner les privations affectives.

Quand j'allais encore au collège, j'avais demandé un petit chien ou un chaton. Tante Clara avait catégoriquement refusé et je ne pense pas qu'il y ait eu là méchanceté délibérée de sa part. Elle était convaincue en toute honnêteté que ces « petits animaux familiers causent bien plus de soucis qu'ils n'apportent de plaisir. Les chiens sont bruyants et malpropres. Les chats sont des créatures sales, rusées, voleuses et malsaines ».

Tante Clara apparaissait toujours froide et raisonnable, de sorte qu'il était difficile de contester ses décisions. Pour éviter tout rapprochement amical au collège, elle avait exercé son esprit critique sur toutes les filles vers lesquelles je m'étais sentie attirée. Plus tard, elle avait appliqué le même système aux jeunes gens. Elle les avait examinés et disséqués – et m'avait pratiquement obligée à les voir à travers son regard froid et désapprobateur. Je n'avais jamais osé lui opposer mon propre jugement... jusqu'à ce jour.

Aujourd'hui, il y avait Jonathan. Aujourd'hui, pour la première fois depuis la mort de mes parents, j'aimais – et je croyais être aimée. Jonathan avait libéré mon affectivité brimée. Mes sentiments pour lui étaient comme une rivière à plein débit.

– Je vais épouser Jonathan.

Ce n'était pas un défi. J'énonçai un fait irréfutable. Cette simple déclaration sonnait à mes oreilles comme la plus douce des mélodies, ce qui, visiblement, n'était pas le cas pour ma tante.

– ... Très bientôt...

Je n'avais jamais vu ma tante perdre son calme. Elle savait se maîtriser, c'était l'une de ses caractéristiques les plus étonnantes. Elle fronça légèrement son front lisse et large. Ce fut le seul signe qui trahit une certaine consternation. Elle dit avec une mauvaise foi évidente :

– Il est tellement poilu. Avec tous ces cheveux et toute cette barbe, il me fait penser à un ours.

– J'aime les ours, répliquai-je puérilement mais avec entêtement.

– Les ours bruns sont inoffensifs, je crois, mais les blancs sont dangereux. Avec ce poil, il est difficile de voir à quoi il ressemble vraiment. Il se peut que ce soit voulu. Une forme de déguisement ?

– Que veux-tu dire ? Pourquoi Jonathan voudrait-il se déguiser ?

– Justement. Pourquoi ? Et pourquoi se teint-il où, du moins, se colore-t-il les cheveux ?

– Mais non !

Ces mots me firent tressaillir.

– Oh ! si, ma chère ! Je crois bien. Etant donné son teint clair, d'après ce qu'on en voit, ses cheveux sont probablement roux ou blonds et non brun foncé. Il n'a pas pu changer la couleur de ses yeux et ces yeux gris-vert vont presque toujours de pair avec des cheveux roux ou blonds.

– Pas nécessairement.

Ma gorge était sèche tout à coup. Je voulais me persuader qu'elle racontait des balivernes mais je ne pouvais pas. Tante Clara ne disait jamais de sottises. Ses critiques pouvaient être exagérées, elles reposaient toujours sur des bases solides. Je réalisai avec consternation qu'il y avait des reflets

de feu dans l'épaisse chevelure de Jonathan lorsqu'on la regardait dans les rayons du soleil. J'avais
remarqué et admiré.

– Les cheveux ont tendance à devenir plus sombres à mesure que l'on vieillit.

J'étais sur la défensive; tante Clara réussissait
toujours à me pousser dans mes retranchements.

– Il n'est pas assez vieux, bien qu'il soit beaucoup
plus âgé que toi, ma chère enfant. Environ trente-
cinq ans, je suppose, et tu viens d'en avoir vingt et
un. Trop âgé, trop mûr et trop expérimenté pour
toi, j'en ai bien peur. Tu perdrais pied. Et puis, de
toute évidence, il a déjà été marié. Qu'est-il arrivé à
sa femme? Te l'a-t-il dit?

Je secouai silencieusement la tête. Je chancelai
intérieurement. Tante Clara était une tacticienne-
née; elle découvrait immédiatement les points fai-
bles. Jonathan avait été singulièrement réticent sur
son passé. Avait-il été marié? Il n'y avait même
jamais fait allusion. Pourquoi?

– Tout est là, tu sais. Intangible, mais apparent
pour quelqu'un qui sait regarder. Il a ce qu'on peut
appeler un « air marié ». Je ne voudrais pas que tu
épouses un divorcé et je suis certaine que tes
curateurs n'approuveraient pas un tel mariage.
(Tante Clara ajouta avec douceur :) Songe que, à
moins qu'ils ne se prononcent en faveur de cette
union, tes curateurs ne libéreront pas ton capital.
Pas avant ta vingt-cinquième année.

– Je sais.

Alison avait attiré mon attention sur cette disposition il y a bien longtemps, avec un air triomphal et
diabolique. « Fais confiance à ma mère pour garder
la main sur ton argent aussi longtemps qu'il sera
possible légalement. Il faudra que tu attendes ta
vingt-cinquième année pour disposer de la galette.
Elle trouvera toujours de bonnes raisons pour refuser n'importe quel fiancé qui pourrait se présenter.

Tu peux parier ta vie là-dessus. Oh! bien sûr, on dit que la patience est une vertu et quelle chance as-tu de trouver un « assidu » avant que je sois mariée et sortie des cadres? »

Alison, il faut lui rendre justice, n'était pas orgueilleuse pour ce qui touchait son pouvoir de séduction. Elle évaluait ses attraits froidement, comme un capital dont il fallait tenir compte. Elle se savait jolie et charmante, elle savait qu'elle était spirituelle et amusante et qu'elle possédait quelque chose de cette attirance physique à laquelle peu d'hommes pouvaient résister. En outre, elle était intelligente; elle n'avait pas seulement l'esprit mordant, froid et calculateur de sa mère, elle était beaucoup plus vive et éloquente que tante Clara; elle avait aussi davantage d'imagination.

A peine âgé de vingt ans, Alison, un nombre impressionnant de bonnes notes à son actif, avait débuté comme secrétaire d'édition d'un magazine féminin à gros tirage. A vingt-quatre ans, elle avait sa propre rubrique dans ce magazine : *Ce que je pense* par Alison Knowles; c'était tout le reflet d'Alison, gai, pétillant, amusant, étincelant, et constamment cette malice savoureuse. Les uns jugeaient ses articles impitoyables; mais Alison affirmait : « L'époque de la sentimentalité maladive est révolue. » La popularité croissante de sa rubrique semblait prouver qu'elle avait raison.

Elle me disait souvent :

— Nous sommes entrés dans l'ère de l'anti-héros. Les gens ont beau rechigner à l'admettre, ils vont faire des bonds terribles en découvrant que toutes leurs idoles domestiques ont des pieds d'argile. Il se trouve que j'ai le chic pour découvrir et tourner en ridicule les faiblesses. Si j'avais été un homme, j'aurais été détective ou journaliste spécialisé dans les crimes.

Il y avait des moments où Alison frisait l'indécence avec ses allusions et ses insinuations délicatement tournées mais elle n'avait encore jamais été impliquée dans un procès en diffamation. Elle a dû se faire des ennemis mais ils sont plus discrets que la foule de ses admirateurs. Elle est en passe de devenir une personnalité de la télévision et son nom est connu de tous les foyers. Très peu de gens, semble-t-il, osent lui refuser une interview.

Alison sillonnait sans cesse le pays dans sa petite Mini jaune, à la recherche d'anecdotes inédites. « Je vais droit devant moi », disait-elle pour décrire ses activités; « c'est un grand jeu et qui rapporte ».

Sa mère n'avait pas entièrement approuvé. Bien que le parfum du succès sous toutes ses formes fût doux aux narines de tante Clara, elle eût préféré un mariage brillant pour sa fille plutôt qu'une belle carrière. Tante Clara admirait et craignait maintenant cette témérité qu'Alison avait manifestement héritée de son père. Tante Clara n'en soufflait jamais mot mais elle était secrètement inquiète chaque fois qu'Alison partait pour l'un de ses reportages.

– Expéditions archéologiques, chère maman. Pour déterrer les squelettes. Tu apprécies les résultats autant que les autres. Tu ne peux pas le nier... Alors... ne fais pas tant d'histoires. Je peux prendre soin de moi.

– Tu crois que tu peux. Qui ne serait pas de cet avis, à ton âge et avec ton air? Mais un de ces jours, tu vas attraper un tigre par la queue.

Etait-ce arrivé? Tout ce que nous savions, c'est qu'Alison était partie en voiture à Devon pour un week-end; il y avait six semaines de cela et elle n'était pas revenue. Comme si elle s'était évaporée avec sa Mini. Avant de partir, Alison nous avait confié qu'elle avait en vue « plusieurs projets excitants » et qu'elle ne serait sans doute pas de retour avant le lundi suivant dans la soirée.

Le mardi soir, tante Clara était un peu irritée. Il était pourtant rare qu'elle critiquât sa fille; elle avait fait observer que c'était « un manque d'égards de la part d'Alison de ne pas téléphoner ». Mercredi soir, elle était inquiète. Jeudi soir, toujours sans nouvelles, elle s'était véritablement alarmée. Le vendredi matin, elle avait pris contact avec les bureaux de la revue; ce fut pour apprendre qu'Alison y était attendue depuis le mercredi matin. Sachant quelle serait la réaction d'Alison à toute intervention maternelle et à toute publicité défavorable, tante Clara, avec une fermeté qui m'avait paru inhumaine, avait attendu jusqu'au lundi suivant pour déclarer la « disparition » de sa fille à la police.

A ce moment, la piste était déjà brouillée. La police a fait de son mieux, surtout les commissariats de Devon et de Cornouailles. Ils ont « ouvert des enquêtes » et ont lu d'innombrables rapports où il était question d'une « Mini jaune conduite par une jolie jeune femme ». Les comptes rendus arrivaient de tout le pays et tante Clara avait déclaré que ceux du nord de l'Angleterre et d'Ecosse pouvaient être éliminés; Alison ne se serait jamais dirigée vers le nord sans s'arrêter chez elle en passant. Le Vieux Presbytère ne se trouvait qu'à quelques miles de la nouvelle autoroute et Alison l'empruntait invariablement quand elle allait à l'ouest ou quand elle en revenait.

Comme d'habitude, le raisonnement de tante Clara était sensé. Alison, très soucieuse de son apparence, n'avait emporté qu'une petite valise; avant de poursuivre sa route vers le nord, elle serait passée pour compléter sa garde-robe. Et aussi pour faire son rapport pour son bureau. Donc Alison devait se trouver quelque part au sud ou à l'ouest.

Le vendredi, exactement quinze jours après qu'Alison nous eut fait un au revoir de la main, je conduisis ma tante à Exeter dans ma Ford Escort presque neuve; je l'avais achetée avec l'autorisation des curateurs quelques semaines auparavant, pour mes vingt et un ans. Dans des circonstances normales, Alison et sa mère auraient organisé une réception au Vieux Presbytère pour cette occasion; or, nous passâmes presque toute la journée au poste de police qui venait de recevoir les rapports les plus crédibles concernant Alison.

Quelques passagers d'un car et deux bandes de pique-niqueurs avaient remarqué une Mini parquée sur la route de Dartmoor. La conductrice, une jeune fille blonde, de petite taille, examinait une carte. En possession de cet indice, la police découvrit alors qu'une Mini jaune avait été aperçue dans deux villages voisins. Dans l'un d'eux, la conductrice était allée jusqu'à une boîte aux lettres et un employé des postes était justement en train de ramasser le courrier de l'après-midi.

Le préposé, un homme d'âge moyen et qui semblait digne de confiance, se souvint que la jeune femme lui avait demandé comment aller à Hunter Tor, une ferme isolée à deux miles du village. La police avait aussitôt interrogé le propriétaire... Jonathan March... Mr March avait admis qu'une jeune femme était venue à la ferme un après-midi, en se présentant comme journaliste. Il ne l'avait pas reconnue et son nom ne lui disait rien. Il ne regardait pas la télévision, il n'avait d'ailleurs pas de téléviseur et il ne lisait certainement pas les journaux féminins.

Il avait été étonné d'apprendre qu'elle venait pour l'interviewer. Il ne voyait pas pourquoi. Elle s'informait des conditions hivernales à Dartmoor et de leurs effets sur le bétail et les moutons. Il lui avait expliqué qu'il n'était pas à Hunter Tor depuis assez longtemps pour avoir l'expérience d'un hiver anormalement rigoureux. Il lui avait suggéré d'aller se renseigner auprès de l'un des vieux habitants...

Le sergent en était arrivé à ce passage du compte rendu de style un peu pompeux quand tante Clara lui coupa la parole avec vigueur :

– Ridicule! Absolument ridicule. L'homme a menti. Les moutons? Le bétail? Ma fille ne s'y intéresse pas le moins du monde.

Un inspecteur était présent, un homme à l'air fin et intelligent. Je l'imaginai très bien dressant l'oreille à l'intervention de tante Clara; mais le sergent corpulent poursuivit, imperturbable. Selon Mr March, la jeune femme s'était fait indiquer les noms et les adresses de personnes susceptibles de l'intéresser.

Non, il ne saurait dire exactement à quel moment elle est repartie. Ce devait être tard dans l'après-midi, le brouillard se levait, et il fallait encore qu'il jette un coup d'œil sur son troupeau, tant qu'on pouvait encore y voir. Plusieurs brebis étaient sur le point d'agneler; c'était l'époque... Combien de temps était-elle restée? Dix minutes, un quart d'heure peut-être. Non, il n'avait aucune idée de la direction qu'elle avait prise ensuite. On ne voyait pas la route depuis le chemin sinueux qui menait à la ferme. Une fois sur la route, elle pouvait avoir tourné aussi bien à droite qu'à gauche...

Comme on lui demandait pourquoi il ne s'était pas présenté à la police pour l'informer de la visite de la jeune journaliste, Mr March avait répondu qu'il ne savait pas qu'elle était portée disparue. Oui, il avait bien un poste de radio, mais il était trop occupé pour l'écouter, sauf parfois les bulletins météorologiques.

– Très probablement, ma fille n'a jamais quitté la ferme. C'est aussi ce que vous pensez? Cet homme – March – semble avoir été la dernière personne qui ait vu ma fille. Qui est-il? Que savez-vous de lui?

Les deux policiers s'étaient regardés. Le sergent avait pâli; l'inspecteur était pensif. Ni l'un ni l'autre n'avaient de renseignements valables à offrir. Mr March avait acheté Hunter Tor quatre ans auparavant. Il n'était pas de la région. Il venait d'« ailleurs ». Il vivait seul et on le disait bon fermier. Il n'avait apparemment pas de relations dans le voisinage. Il faisait les marchés et on le voyait aux expositions florales locales. Il « adorait le jardinage et cultivait tout particulièrement les roses ». Le sergent ajouta que « Mr March avait obtenu plusieurs récompenses à l'exposition de Plymouth de l'année précédente ».

Tante Clara eut un geste d'impatience. Pour elle, il était clair que l'homme avait quelque chose à cacher et qu'il fallait pousser l'enquête. La police avait-elle perquisitionné à la ferme et dans ses dépendances?

– Il nous est difficile de le faire sans mandat, madame, lui avait rappelé l'inspecteur. Pour le moment, nous n'avons aucune raison de supposer que la disparition de miss Knowles n'a pas été volontaire ni qu'il s'agisse d'un guet-apens.

– Ridicule! Il n'y a pas d'autre explication possible. Si ma fille était vivante, j'aurais de ses nouvelles. Elle a manifestement été assassinée, avait déclaré ma tante sans ambages.

Sans doute la même crainte s'était-elle insinuée dans mon esprit, bien que je ne l'aie pas exprimée. Quoi qu'il en soit, je fus horrifiée d'entendre tante Clara évoquer cette atroce éventualité. Alison semblait toujours si terriblement vivante, tellement vibrante!

Les deux policiers eurent l'air embarrassé. Le sergent dit, tout en secouant sa tête grisonnante :

– Aucune raison de voir les choses en noir, madame. Les jeunes femmes sont impulsives de nos jours et elles ne disent pas tout à leur mère. J'ai moi-même une fille... Je sais...

– Vous ne connaissez pas ma fille. (Là-dessus, tante Clara se leva et se tourna vers moi :) Viens, Flora. Nous sommes en train de perdre notre temps ici. Allons à Hunter Tor et interrogeons cet homme...

2

J'avais donc vingt et un ans; et en ce jour qui semblait placé sous une mauvaise étoile, tante Clara, toujours pointilleuse en dépit de l'anxiété qui la rongeait, m'avait souhaité « de nombreux autres anniversaires dans l'avenir » et m'avait offert un nécessaire de coiffure en argent dans une mallette en peau de porc à garnitures en argent.

Je l'en remerciai avec toute la chaleur dont j'étais capable, en me demandant de quelle utilité me serait un tel objet. Mon travail ne m'amenait pas à voyager. Différente d'Alison, cette ambitieuse née, je m'étais laissé diriger vers un emploi peu exaltant de secrétaire chez un agent immobilier de Guildford. C'était un travail routinier mais j'étais assurée d'échapper à l'œil froid et vigilant de tante Clara de 8 h 30 du matin à 6 heures du soir.

Avec plus d'initiative de ma part, et si j'y avais été encouragée, nul doute que j'aurais pu trouver quelque chose de mieux. Mais la triste vérité était que je n'avais absolument aucune ambition ni aucun don spécial. Après avoir quitté le collège, tante Clara m'avait suggéré de suivre un cours de secrétariat; ce que j'avais fait, espérant vaguement trouver ensuite un travail intéressant parmi des gens intéressants. J'étais décidée à quitter le Vieux Presbytère à ma majorité. En attendant, le travail chez l'agent immobilier me permettrait au moins d'acquérir une certaine expérience et, je le souhaitais, des références satisfaisantes.

Depuis Noël, je ne cessai de me répéter ce que je dirai à ma tante le jour où elle ne serait plus ma tutrice; je me préparais à un affrontement inévitable. Je ne pouvais pas prévoir qu'Alison bouleverserait tous mes plans par sa mystérieuse disparition. Je ne pouvais pas quitter ma tante maintenant, avec cette ombre menaçante qui planait au-dessus d'elle.

Perplexe, je considérai quelques instants son profil net. Puis, suivant les indications données à contrecœur par l'inspecteur, je traversai la lande en direction de Hunter Tor.

— Es-tu bien certaine que tu veux voir ce Mr March? Ne serait-il pas plus sage de laisser faire la police? hasardai-je enfin.

Elle n'avait pas dit un seul mot depuis que nous avions quitté le commissariat. Elle avait l'air aussi glacial et vide que la terre et que l'atmosphère à l'extérieur de la voiture bien chauffée.

— La police? Où en est-elle? Est-elle allée assez loin? Cet homme ment et j'ai l'intention de le prouver. As-tu peur de te trouver face à face avec lui? répondit-elle en colère.

Je hochai la tête en silence. Je ne pouvais pas lui dire que son avertissement à Alison me revenait justement en mémoire, au sujet du tigre qu'elle pourrait bien attraper par la queue. Si j'avais peur, ce n'était pas de ce fermier inconnu; ce que je craignais, c'était l'œil perçant de tante Clara. Je ne savais que trop à quel point elle pouvait être inpitoyable. Je crois bien que j'étais un peu désolée pour Jonathan March, avant même d'avoir posé les yeux sur lui.

Il n'était pas un tigre. Mon intuition m'en

convainquit instantanément. Debout sur une marche de pierre usée, je frappai à une lourde porte en chêne, d'abord doucement, puis avec plus de vigueur, pour obéir au geste impératif que tante Clara me faisait depuis la voiture. C'est alors que j'entendis un tracteur. En me retournant, j'aperçus l'engin qui descendait un étroit sentier entre des murs de pierre brute; il traînait une remorque et se dirigeait vers une vaste grange. Je fis un signe et le conducteur leva rapidement le bras. Il pouvait être le valet de ferme. Il pouvait aussi être ce fermier inconnu qui connaissait Alison plus qu'il l'avait avoué à la police.

Le moteur s'arrêta soudainement. Je pris conscience du silence, de l'air lourd chargé de moiteur et de l'isolement. On s'attendrait plutôt à entendre des bruits familiers... des bêlements, des meuglements, des caquetages. Ici, il n'y avait que le silence. Même quand il ressortit de la grange, un chien de berger noir et blanc sur les talons, ses grosses bottes en caoutchouc ne faisaient aucun bruit sur le sol bourbeux et le chien n'aboya pas.

Je remarquai tout d'abord ses cheveux; cette épaisse chevelure sombre qui lui descendait jusqu'aux épaules, et sa barbe de la même couleur, aussi fournie. Il portait un vieux pantalon de velours côtelé, serré dans ses bottes, et une grosse veste imperméable avec une ceinture; je notai également que, bien que d'une taille au-dessus de la moyenne, il était plutôt mince.

– Mr March? demandai-je timidement tandis qu'il s'avançait.

Il fit oui de la tête et s'arrêta. Interrogateur ou sur la défensive? Je n'aurais su le dire. Ce que je pouvais voir de son visage entre ses cheveux et sa barbe était curieusement impassible. Il avait un nez aquilin finement sculpté et ses yeux gris-vert étaient enfoncés sous d'épais sourcils sombres. J'étais toujours très attentive aux yeux des gens; peut-être à cause de tante Clara et d'Alison... Ces yeux froids, brillants, implacables, au fond desquels j'avais cherché en vain des signes de chaleur et d'affection depuis ma plus tendre enfance. Les yeux de Jonathan March ne souriaient pas mais ils n'étaient ni brillants ni froids. Ce n'étaient pas des yeux de tigre, pensai-je avec soulagement.

– Ma tante... commençai-je...

Je me tus aussitôt, voyant tante Clara s'approcher. Elle n'était pas grande et elle se tenait une marche au-dessus de nous, mais elle avait ce qu'Alison appelait « de la présence »; elle possédait une sorte de dignité incontestable.

– Mr March? Bonjour. Si vous pouvez m'accorder quelques minutes, j'aimerais vous poser quelques questions au sujet de ma fille, Alison.

– Alison? Alison Knowles? J'ai raconté à la police notre brève entrevue; mais si vous voulez vous donner la peine d'entrer, Mrs Knowles. Et... miss Knowles?

– Knowles est le nom de plume de ma fille. Je suis lady Cheeseley, et ma nièce, miss Flora Merstone, rectifia ma tante, crispée.

Il inclina sa tête foisonnante et nous ouvrit la lourde porte en chêne. Elle donnait directement sur une grande cuisine à l'ancienne; une grosse cuisinière à mazout, une longue table et un banc en chêne ainsi que deux fauteuils recouverts de cuir gris composaient le mobilier. Le sol dallé disparaissait en partie sous une natte à rayures orange et vertes, d'épais rideaux gris protégeaient les fenêtres.

– Voulez-vous vous asseoir? dit-il en désignant les fauteuils. Vous prendrez peut-être un peu de thé?

Sa voix était singulièrement calme et son articulation nette et précise. C'était aussi inattendu, presque aussi incongru, que ces fauteuils coûteux et ces yeux gris-vert avec ces cheveux sombres. Il n'avait pas la voix d'un éleveur de moutons vivant dans un coin désert.

— Non, merci! Il ne s'agit pas d'une visite de bon voisinage, dit froidement tante Clara.

— Comme vous voudrez, conclut-il en débouclant sa ceinture.

Sa veste était tachée et usée aux coudes mais, en dessous, il portait un polo gris foncé à col roulé en beau cachemire.

Tante Clara et moi nous nous installâmes dans les fauteuils. J'étais contente de m'asseoir car je sentais une faiblesse bizarre dans les genoux. Mes mains tremblaient aussi; je saisis les bras du fauteuil. Le chien s'était couché sans bruit à côté de la cuisinière. Jonathan March s'était négligemment appuyé contre la table, il nous regardait... avec animosité ou avec une sympathie impersonnelle? Un peu des deux, pensais-je.

Tante Clara ouvrit le feu :

— Vous comprenez mon inquiétude concernant ma fille, Mr March. Il semble que vous soyez la dernière personne à l'avoir vue et à lui avoir parlé.

— J'ai voulu m'en assurer. Sa voiture a été aperçue immédiatement après à Pennyworth, se dirigeant vers Meavy, dit-il tranquillement.

— Un témoin très vague, une vieille femme qui ramassait du bois, sans aucune notion du temps. Il est probable qu'elle a vu la voiture alors qu'elle venait ici, rectifia ma tante.

— Si tel avait été le cas, la voiture ne se serait pas trouvée en direction de Meavy.

— D'après la police, personne, à Meavy ou à Yelverton, ne se souvient l'avoir vue.

Après un silence bref et impressionnant, Jonathan March reprit la parole, de cette voix tranquille et sans émotion :

– Bien sûr, vous êtes inquiète, lady Cheeseley. Je regrette de ne pouvoir vous donner aucun renseignement utile. Je peux seulement vous assurer que votre fille est partie en fin d'après-midi sans incident, et apparemment en excellente santé.

– Nous n'avons que votre témoignage, Mr March.

– Que puis-je vous offrir d'autre ?

Il resta ferme sous le regard froid et hostile de tante Clara ; il tourna très légèrement la tête pour me regarder directement. Nos yeux se rencontrèrent... et ce fut comme un courant électrique qui parcourut mes veines. Qu'ai-je lu dans ses yeux ? Certainement de la compréhension, comme s'il avait senti mon embarras ; ce fut comme une conversation silencieuse et inattendue. Un appel ? Peut-être. Sinon, pourquoi me serais-je tout à coup souvenue d'un tableau que j'avais vu autrefois et qui représentait un ours hirsute entouré de chiens bondissants, tous crocs découverts ? J'étais désespérée.

– Tante Clara, nous perdons notre temps... et celui de Mr March. Il ne sait pas ce qu'a fait Alison en partant d'ici.

Ma tante reprit d'un ton sinistre :

– Si elle est partie... Je vous avertis, Mr March, je ne suis pas satisfaite de votre déposition. Je vais demander une perquisition minutieuse des lieux.

– Comme vous voudrez. Mais la police ne trouvera ici aucune trace de votre fille.

– Vous semblez bien sûr de vous. Peut-être alors m'expliquerez-vous pourquoi, si votre conscience est pure, vous avez menti à la police au sujet de votre entretien avec ma fille ? Elle ne s'intéresse pas le moins du monde à l'agriculture. Sa rubrique ne concerne que les gens. Ma fille prévoyait une série d'articles sous le titre général : « *Où sont-ils aujourd'hui ?* »; il s'agissait de découvrir les activités actuelles de personnalités autrefois célèbres ayant disparu subitement de la scène.

– Vraiment ? Dans ce cas, sa visite ne pouvait être qu'une erreur ou une diversion. Les éleveurs de moutons font rarement les gros titres des journaux, et Jonathan March n'a jamais été un nom célèbre, répliqua-t-il d'un ton égal.

– Cela, je veux bien le croire. Mais est-ce bien votre nom ? Et avez-vous toujours été fermier ?

A ce moment, il se raidit imperceptiblement et son menton barbu se souleva.

– Même en faisant la part de votre inquiétude, lady Cheeseley, je trouve toutes ces questions parfaitement inadmissibles. Mon passé ne présente aucun intérêt pour vous.

Je sentis percer en lui une colère à peine contrôlée. Tante Clara rétorqua sans se laisser troubler :

– Il aurait pu intéresser ma fille. Elle avait du flair pour mettre au jour les défauts cachés des gens... vous le sauriez si vous aviez lu sa rubrique.

– Je ne perdrais certainement pas mon temps à ce genre de lecture. Je préfère respecter la vie privée des gens et j'attends d'eux qu'ils n'envahissent pas la mienne.

J'intervins avec impétuosité :

– C'est normal. C'est ainsi que les choses devraient être. Tante Clara, je t'en prie... partons...

Ma tante tourna vers moi son regard impénétrable :

– Vraiment, Flora, on dirait que tu te désintéresses de ta cousine...

Pour l'instant, toute ma sollicitude allait à Jonathan March. J'étais incapable de m'expliquer pourquoi. Je ne supportai pas de le voir ainsi tourmenté. Quoi qu'il pût avoir à cacher – et incontestablement, il y avait quelque chose – ce n'était pas à tante Clara de s'en mêler. Sans doute avait-il été excédé par les investigations d'Alison faisant irruption dans son refuge solitaire, mais il n'avait pas levé seulement le petit doigt sur elle. J'en étais convaincue.

Quoi qu'il en soit, il avait dû recevoir un choc très dur autrefois. J'en avais l'intuition. Il était fier, impressionnable et doux. Il voulait soigner ses blessures dans le silence, dans la solitude, sans désir de revanche.

Au cours de toutes ces années passées avec ma tante, je n'avais presque jamais discuté avec elle. J'avais appris très vite que c'était inutile, qu'elle me laisserait invariablement écrasée et meurtrie. Mais maintenant, je lui faisais face, la colère montait en moi, et j'éclatai :

– Je ne sais pas ce que tu t'es mis en tête mais tu as tort. S'il est arrivé malheur à Alison, c'est après qu'elle est partie d'ici. Elle a dû attraper son tigre, comme tu dis, mais ce n'était pas Jonathan March. Pour l'amour du ciel, cesse de le tourmenter.

Si je n'avais pas été aussi tendue, j'aurais ri de bon cœur en voyant tante Clara se pétrifier; c'était comme si un moineau était venu se poser inopinément sur son visage et lui donnait des coups de bec. Tant et si bien qu'elle oublia son refrain : « Vraiment, Flora ! » Elle se leva de son fauteuil en silence. Tout aussi silencieusement, Jonathan alla ouvrir la porte. Tante Clara passa devant lui, les lèvres pincées. J'étais sur le point de lui emboîter le pas, Mr March me dit alors à voix basse :

– Merci, miss Flora ! et il me tendit la main.

Rapidement, sans hésitation, je la pris. Ses doigts se fermèrent sur les miens en une pression chaude et solide et il sourit, pour la première fois. C'était un sourire naturel et spontané qui réchauffait son regard. Je pris un temps pour respirer, j'étais émue.

– Jonathan...

Je venais de recevoir le plus beau cadeau d'anniversaire que je pouvais souhaiter.

Imagination? Bien sûr. Cela ne pouvait pas arriver de cette façon, en l'espace d'un éclair; surtout pas à quelqu'un d'aussi ordinaire et insignifiant que Flora Merstone. Flora? Décidément un prénom qui ne me convient guère.

« Si tu es une fleur, ce doit être une de ces humbles fleurs que l'on trouve au bord des chemins, à peine visibles parmi la verdure; il faut que ta mère ait été une créature bien tendre pour appeler son bébé Flora, sans se rendre compte qu'elle était en train de baptiser une simple Jane. Un miracle qu'elle ne t'ait pas nommée Ange ou Chérubine si elle croyait que les bébés descendaient tout droit du ciel! » avait commenté Alison autrefois. Retrouvant mes esprits, je libérai mes doigts de cette pression chaleureuse et m'élançai derrière tante Clara.

Elle s'obstina dans son silence jusqu'à ce que nous soyons sur le chemin qui conduisait au village. Elle me dit alors brusquement:

– Tu as agi intelligemment, Flora.

– Intelligemment?

– Tu as désarmé cet homme en feignant d'accepter son histoire. De toute évidence, c'est une brute obstinée. Je n'aurais rien obtenu en le harcelant. C'est un mur. Tu n'arriveras à tes fins qu'en te faufilant par une faille de son armure. Cela vaut la peine d'essayer. La prochaine fois, tu iras seule à Hunter Tor.

– La prochaine fois?

– Oui, bien sûr. Tu ne penses tout de même pas que nous allons le laisser en paix avec son tas de mensonges. Prends la route de Yelverton. Je crois qu'il y a quelques bons hôtels. A cette époque, nous trouverons facilement des chambres. Inutile de retourner à Exeter.

Les jours suivants, ma tante insista beaucoup pour que je rendisse de fréquentes visites à Jonathan March. Avoir rencontré mon amour grâce à Alison et à ma tante m'apparut plus tard une ironie du sort. En effet, toutes deux s'étaient toujours attachées à étouffer toutes mes timides tentatives d'aventures romanesques. Ou bien les garçons étaient instantanément refroidis par l'accueil distant de tante Clara et ses questions impitoyables, ou bien ils rencontraient Alison et venaient augmenter promptement la bande de ses admirateurs.

Et maintenant, c'était tante Clara qui me poussait positivement vers Jonathan March. Je pensai tout d'abord que l'inquiétude l'empêchait de voir le danger en ce qui me concernait. Je savais qu'Alison avait raison quand elle disait que sa mère me garderait – moi et mon argent – le plus longtemps possible; je savais que c'était grâce aux fonds en dépôt que ma tante pouvait avoir à son service une cuisinière en permanence, un journalier et un jardinier trois fois par semaine; je ne lui en voulais pas. Mais le jour où je quitterais le Vieux Presbytère, ma tante devrait revoir son budget de fond en comble.

Dans la mesure où je resterais célibataire pendant les quatre années à venir, elle pouvait raisonnablement attendre de moi que je contribue encore à ses dépenses, même si je trouvais un emploi ailleurs. Une fois mariée et habilitée à gérer ma fortune, mon mari aurait tout naturellement son mot à dire sur mes dispositions financières.

Tante Clara était trop subtile pour relâcher sa vigilance à mon égard. J'en arrivai à la conclusion que l'idée ne lui était pas venue que Jonathan pût me plaire. Elle ne voyait en lui qu'une « brute obstinée » ayant un passé douteux, c'était un être repoussant avec ces vêtements de travail et « tout ce poil ».

De toute évidence, elle s'imaginait qu'en me rendant de plus en plus souvent à Hunter Tor, je ne faisais que suivre ses instructions. Elle n'avait pas saisi l'ambiguïté de mes sentiments envers Alison. Elle admettait comme un fait acquis que j'aimais et admirais ma spectaculaire cousine et que j'étais littéralement rongée d'inquiétude à son sujet.

Jonathan avait beaucoup mieux compris. La première fois que j'allai seule à la ferme, il me salua poliment, mais en levant ses sourcils épais, en une interrogation muette. Je l'avais trouvé dans l'une des granges, nourrissant au biberon quelques agneaux sans mère.

— Puis-je vous aider? Je ne veux pas vous déranger. C'est ma tante qui a insisté...

J'étais plutôt intimidée. Il me tendit un biberon de lait chaud avec un « vraiment? » peu engageant. Je sentis que je rougissais et je penchai la tête vers l'agneau qui gigotait et bêlait.

— Oui. Elle pense que vous me parlerez plus librement.

— Là, elle a marqué un point. Avez-vous préparé votre questionnaire?

— Non! Je n'ai rien à vous demander.

— Vous avez accepté mon histoire sans réserve?

— Oh! non! Bien sûr que non! Ne croyez tout de même pas que je sois folle à ce point. Si vous aviez connu Alison, vous n'auriez pas débité de telles absurdités. Elle n'aime pas du tout les animaux et c'est le moindre de ses soucis de savoir combien de bêtes ont péri sous le dur climat de la lande.

— Alors...

— Il ne fait aucun doute qu'elle était en train de fouiller dans votre passé. Elle adorait exhumer les squelettes. Ce n'est pas mon affaire et cela n'a rien à voir avec ce qui a pu lui arriver. Seulement, tante

Clara ne s'en rend pas compte et, en même temps, il faut que je la ménage. Comprenez-vous?

– En vérité, il faudrait être d'une grossièreté inouïe pour ne pas souhaiter la bienvenue à une aussi charmante visiteuse.

– Oh! je vous en prie! Pas de sarcasme. J'en ai horreur.

– Ce n'est pas du sarcasme.

– De l'ironie, alors. Peu importe. Je sais parfaitement que je ne suis pas « charmante ». Je ne veux même pas essayer de l'être.

– Possible. « Charmante » n'est peut-être pas le terme qui convient. « Fraîche » serait mieux. Ou « délicieuse ». Ou « une très agréable surprise ». Cela, vous me l'accorderez, non?

Il y eut une espèce d'étincelle dans ses yeux. Me penchant à nouveau vers l'agneau, je murmurai :

– C'est que je ne suis pas venue pour être désagréable.

Le petit animal cessa de se tortiller, se mit à sucer la tétine et j'en éprouvai une satisfaction bizarre. Mes bras étaient vides depuis si longtemps... depuis que tante Clara avait décidé que j'étais trop vieille pour dormir avec un ours en peluche. Ce fut au cours de ma troisième visite que Jonathan lui-même amena la conversation sur Alison.

Nous venions de visiter les agnelles. Nous en avions trouvé une qui avait deux petits et avait visiblement mal supporté l'agnelage. Il fallait les mettre dans la grange. J'avais porté un agneau tandis que Jonathan prenait l'autre, tout en cajolant la mère pour qu'elle nous suive.

Ensuite, mes mains et mon imperméable étaient bien sales et il avait bien fallu que j'entre dans la maison pour me nettoyer. Il faisait le thé quand je sortis du cabinet de toilette. Il me fit signe de prendre place dans un fauteuil et nous bûmes lentement notre thé brûlant, dans un silence étrange chargé d'amitié. Puis il me demanda tout à coup :

— Quels sont vos sentiments réels vis-à-vis de votre cousine ?

— Mes sentiments ? Je suis inquiète, bien sûr.

— Ce n'est pas ce que je voulais dire. Si vous appreniez certains traits déplaisants de son caractère, en seriez-vous choquée et consternée ? Incrédule ? Ou très indignée ?

Je le regardai avec perplexité.

— Non, je ne pense pas. Je sais qu'elle peut être dure, sans pitié même. Les gens lui importent peu, cela lui est égal de les blesser. Elle démolit tout et elle a le chic pour trouver le point faible de quelqu'un. Sans doute cela lui donne-t-il l'impression de posséder un pouvoir sur les autres.

— Peut-être est-ce ainsi que tout a commencé. L'amour du pouvoir et l'amour de l'argent... dit-il comme pour lui-même.

— L'argent ? En effet, cela les intéresse toutes les deux au plus haut point... Alison et tante Clara. Mais différemment. Tante Clara ne dépense jamais sans nécessité. Alison peut être follement extravagante.

— Dépensant plus qu'elle ne gagne ?

— Je n'en sais rien. Je pense qu'elle est très bien payée à son journal et elle fait aussi de la télévision. Je crois que ses frais de déplacement sont largement couverts et puis il y a aussi les cadeaux. Pourquoi cette question ?

Il hésita avant de répondre :

— J'ai idée que votre cousine ne rechignait pas au chantage. Je ne voulais pas entamer ce sujet, mais ce pourrait être un indice... en relation avec sa disparition.

— Ah ? Vous voulez dire qu'elle aurait exercé une pression sur vous ?

— C'est ce que j'ai ressenti. Elle m'a déclaré sans ambages que, tandis que certaines personnes accueillaient avec joie toute sorte de publicité, il y en avait d'autres qui lui offraient de belles récompenses pour n'être pas interviewées. Elle semblait s'imaginer que je faisais partie de la seconde catégorie.

– Ah? Alors...

– J'ai réussi à la convaincre qu'elle se trompait, que je n'étais pas le type qu'elle cherchait. Quand j'ai eu connaissance de sa disparition, l'idée m'est venue qu'elle avait pu jouer un jeu dangereux. L'un de ses « sujets » a peut-être réagi violemment...

– Et... l'a assassinée? Vous pensez qu'elle est morte?

– Pas vous?

– Je n'en sais rien. C'est atroce, mais c'est probable... et, pourtant, j'ai du mal à croire que quelqu'un oserait... Alison est si jolie et si féminine; mais il y a de la dureté en elle. Elle a toujours le dessus. Elle peut être téméraire mais elle est rusée aussi. Je doute qu'elle ose pousser quelqu'un à bout. Et puis, qui assassinerait dans le seul but de protéger sa réputation?

– Ça dépend de l'enjeu... ou de la patience de l'intéressé. Un homme peut tuer dans un accès de colère sans jamais y avoir songé auparavant.

Il parlait avec une conviction tranquille et mon cœur se mit à tanguer tout à coup. S'appuyait-il sur son expérience personnelle? Avait-il déjà tué de cette façon? Oh! non, certainement pas. Je rétorquai avec prudence :

– Cela dépend des hommes. Je vous vois mal vous abandonnant à la colère, Jonathan. De toute manière, il s'agirait dans ce cas d'un homicide involontaire plutôt que d'un meurtre, n'est-ce pas?

– Sans doute, mais le résultat serait le même pour la victime. (Il se tut un moment puis ajouta, comme pour faire diversion :) Ce n'était qu'une supposition. S'il existait une liste de gens qu'elle voulait interviewer au cours de son déplacement, l'une de ces personnes serait peut-être susceptible d'aider la police dans son enquête.

— Si Alison a établi une telle liste, elle l'aura emportée. Sa directrice n'en possède pas; tante Clara l'a appelée plusieurs fois au téléphone, et elle n'en sait pas plus que nous. Vous n'avez pas parlé de chantage à la police, Jonathan?

— Non. J'aurais dû mais je n'ai aucune raison d'aimer la police et je ne me sens aucune disposition pour faire son travail.

— Alors... pourquoi m'en avez-vous parlé à moi?

Il haussa les épaules.

— Parce que... je sais combien il est difficile de supporter le doute et que la vérité est préférable, aussi pénible qu'elle soit. C'est une dure période pour vous...

— C'est encore pis pour ma tante. Bien pis.

— Admettons. Elle a ma sympathie, mais... il n'y a aucun espoir de dissiper les soupçons affreux qu'elle a contre moi, à moins que l'on réussisse à trouver votre cousine... ou son cadavre. Pour vous le dire tout net, les visites du sergent Holsworthy m'ennuient.

— Il est revenu?

— Oui. Il s'imagine certainement que je vais m'effondrer sous ses pressions et me trahir. Il ne veut pas croire que je n'étais pas au courant de la disparition de votre cousine et que ce fut la seule raison de mon silence. Votre tante l'a convaincu que votre cousine n'est pas partie d'ici vivante.

— La ferme a-t-elle été perquisitionnée?

— Pas encore. Cet inspecteur Aylesbury est réputé pour son efficacité et son ambition. Il est probable qu'il ne veut pas risquer de se rendre ridicule.

— Ne serait-il pas préférable d'inviter la police à effectuer les recherches?

– Et d'avoir sur le dos une bande de policiers qui saccagent ma maison et mettent en pièces mes balles de paille et de foin? Non, merci! Aylesbury a suffisamment de bon sens pour se rendre compte qu'il perdrait son temps. Pourquoi aurais-je caché ici un corps ou une voiture alors que la lande ne manque pas de marais ni de carrières désaffectées?

– Bien sûr!

Je frissonnai involontairement. Il reprit:

– Désolé! Il est à présent très improbable qu'elle soit encore dans le voisinage, morte ou vive. Les personnalités qu'elle choisissait n'étaient pas du genre à vivre dans des villages isolés. La police ferait mieux de concentrer ses recherches dans les alentours de Plymouth, de Torquay ou d'Exeter.

– Etant donné la circulation intense qui règne dans ces villes, personne n'aura prêté attention à une Mini, ni même remarqué sa plaque d'immatriculation. Il est tout de même bizarre que la voiture se soit évaporée ainsi. L'inspecteur a assuré à tante Clara que toute la police du pays était sur les dents. Jonathan, je suis désolée; c'est une affaire détestable pour vous.

– La situation m'apporte une compensation. Combien de temps votre tante se propose-t-elle de rester à Yelverton?

– Elle ne me l'a pas dit. Elle semble être d'avis que si elle n'est pas là pour la harceler, la police classera l'affaire comme l'un de ces mystères insolubles. Je la conduis chaque matin dans un commissariat différent. Je commence à connaître Devon.

– Commencez-vous à me connaître?

Je ne sus que répondre. Je posai ma tasse vide un peu brutalement. A retardement, une espèce d'instinct de conservation m'ordonna de me lever vivement.

– ... Au moins, vous commencez à connaître Hunter Tor et le genre de vie que j'y mène. Pourriez-vous vous en accommoder? C'est plus facile et beaucoup plus agréable à la fin du printemps et en été... mais le plus dur, c'est au cœur de l'hiver. Si vous vous trouviez immobilisée par la neige ici, avec moi... (Il y eut dans son regard une provocation que je ne pus soutenir. Mon cœur battait violemment; c'en était absurde. Il me dit alors sur un ton plus doux :) Vous tremblez. Pourquoi? La peur?

J'étais ébranlée.

– Pas... de vous. Ce sont seulement les sentiments que vous faites naître en moi. Je n'avais encore jamais rien éprouvé de la sorte avant...

3

Je n'oublierai jamais la tendresse de Jonathan en cet après-midi si important. Si je m'étais précipitée vers la porte, il m'aurait laissé partir sans un mot de reproche.

Peut-être aurais-je dû fuir, mais comment ignorer l'appel de ses yeux et de sa voix lorsqu'il s'approcha de moi, les bras tendus, en disant :

– Ne partez pas! Ne fuyez pas, Flora... Je prendrai soin de vous. Je ne vous blesserai jamais...

Comment aurais-je pu repousser cette première promesse d'amour, de chaleur et de réconfort qui m'était donnée depuis la mort de mes parents? J'hésitai... puis je me jetai dans ses bras. Assis dans un fauteuil, j'étais sur ses genoux. Il caressait mes cheveux comme on calme un enfant effrayé, me berçant contre lui, doux et protecteur.

Quand il se pencha vers moi pour m'embrasser, je

sus que j'étais perdue. Je fus emportée par un courant auquel je ne pouvais résister...

Pendant les dix jours qui suivirent, je vécus comme sous un charme ou dans un rêve. Apparemment, mon comportement était normal puisque tante Clara ne sembla remarquer aucun changement. Pourtant, je ne me sentais vraiment vivante qu'au moment où je pouvais m'échapper pour rejoindre Jonathan.

En présence de ma tante, je gardai pour moi mon précieux, mon coupable secret. Je ne pouvais m'empêcher de me sentir fautive en cultivant ce rayon de bonheur qui était en moi, tandis que tante Clara endurait encore l'agonie de l'attente. Elle était toujours aussi soignée et maîtresse d'elle-même mais sa tension commençait à être perceptible. De nouveaux sillons apparurent sur son front et autour de ses yeux et ses mains tremblaient légèrement. Je savais que ses nuits étaient agitées. Sa chambre était contiguë à la mienne et la cloison de séparation était mince. Je l'entendais souvent bouger. Parfois, jetant un coup d'œil dans le corridor, je voyais un rai de lumière sous sa porte. Mon cœur allait alors vers elle, dans une sympathie silencieuse et impuissante. S'il y avait eu entre nous une affection véritable ou une certaine compréhension, je serais allée frapper à sa porte. Nous aurions bu ensemble une boisson chaude, je lui aurais offert de veiller avec elle. Mais je savais qu'elle me repousserait avec froideur, qu'elle m'en voudrait d'avoir été témoin de ses insomnies. Elle ne voulait rien de moi ni de personne d'autre; tout ce qu'elle désirait, c'était recevoir enfin des nouvelles de sa fille adorée.

Elle me harcelait parfois dans la journée comme elle harcelait la police.

– Réfléchis, mon enfant! Fais fonctionner un peu ton cerveau. Si Alison a quitté Dartmoor, où a-t-elle pu aller? Où devait-elle aller logiquement? A-t-elle parlé d'amis qu'elle aurait à Devon? Ou d'anciennes célébrités qui y vivaient? Elle devait bien t'entretenir un peu de son travail.

– Pas plus que toi... elle travaillait sur une série d'articles intitulée *Où sont-ils aujourd'hui?* Elle aimait à se vanter après un coup réussi, pas avant. Je l'ai entendue faire allusion à « plusieurs projets excitants », le matin même de son départ... mais elle aura emporté ses notes, dans cette serviette dont elle ne se séparait jamais.

– Tu m'es vraiment d'un grand secours! Tu n'essaies même pas. Elle doit pourtant bien t'avoir parlé... Vous étiez intimes!

– Elle ne me faisait pas de confidences. Elle me traitait comme si j'étais encore une enfant... (Le ton amer de ma tante m'ayant particulièrement frappée, j'ajoutai ardemment :) Il ne faut pas abandonner tout espoir. Alison a pu aussi aller à l'étranger; elle emportait toujours son passeport.

– Tu n'en as pas averti la police?

– J'y pense à l'instant...

Cette suggestion eut au moins le mérite de mettre tante Clara sur une autre voie. Elle repartit à l'assaut des différents postes de police, demandant la vérification de toutes les listes de vol des jours ayant suivi la visite d'Alison à Dartmoor. Les policiers devaient commencer à être malades de nous voir et d'entendre la voix froide et impérative de tante Clara. Cependant, rares étaient ceux qui montrèrent leur irritation. Pour la plupart, ils firent preuve d'une patience peu commune et furent tout à fait coopératifs. Ils nous assuraient invariablement qu'ils « poursuivaient leurs enquêtes » et qu'ils avaient déjà reçu de nombreux rapports venant de tout le pays.

Ce fut l'ambiguïté de ces rapports qui me confondit. Ils concernaient toujours une Mini jaune, mais jamais la personne qui était au volant. J'aurais attendu que quelqu'un, quelque part, reconnaisse Alison Knowles. Sa photo était en tête de sa rubrique hebdomadaire et de tous les articles qu'elle écrivait. Elle avait participé à des émissions de télévision et des millions de téléspectateurs devaient l'avoir vue. Pourquoi ne s'était-il trouvé personne qui fût capable de l'identifier, excepté Jonathan! Jonathan, je m'en souvenais avec tristesse, ne s'était pas « présenté ». Peut-être ne l'aurait-il pas fait non plus, même s'il avait été au courant de sa disparition. Il est aussi possible que les gens interviewés aient de bonnes raisons pour refuser d'avouer qu'elle leur avait rendu visite. Si, comme l'imagine Jonathan, Alison ne dédaignait pas le chantage, on voit difficilement ses victimes aidant la police dans ses recherches.

Par ailleurs, je ne me représentais pas Alison victime de ce que l'on appelle communément un guet-apens ou même d'un accident mortel. Ce sont des choses qui ne pouvaient pas arriver à ma cousine, tout simplement. C'était elle qui les suscitait. Ce fut probablement cette ferme conviction qui me soutint durant les moments les plus pénibles de cette épreuve. Nous fûmes convoquées à deux reprises dans un hôpital pour reconnaître éventuellement une accidentée de la route non encore identifiée; elle était dans le coma, incapable de donner un renseignement quelconque. Une autre fois, il s'agissait d'une jeune femme blonde dont le corps nu avait été retrouvé sur les rochers d'une crique isolée. Aucune de ces malheureuses ne ressemblait à ma cousine. Ce à quoi je m'attendais, mais tante Clara, je le sentais, ne partageait pas ma certitude.

Pour une mère, sa fille reste un enfant, chéri et fragile, quelles que soient ses compétences et son assurance. Tante Clara ne douta jamais de l'amour d'Alison. Pour elle, il était absolument exclu que sa fille pût lui imposer volontairement cette angoisse atroce. J'en aurais mis ma main au feu... et pourtant, ce trait glacial, cette dureté, cette ambition habitaient bien Alison. Obscurément, j'entrevoyais que, dans certaines situations, Alison sacrifierait tranquillement ce qui lui était le plus proche et le plus cher, si la poursuite d'un grand dessein en dépendait. Je pensai que l'inspecteur Aylesbury serait d'accord avec moi.

De tous les policiers que nous rencontrâmes, l'inspecteur Aylesbury était celui qui fit sur moi l'impression la plus favorable. Il semblait intelligent et intuitif et pas une seule fois il ne se départit de son sang-froid, même dans les moments où tante Clara s'était montrée le plus insupportable. Alison ayant vraisemblablement disparu dans son secteur, peut-être s'attachait-il davantage à résoudre le cas. Toutefois, ce fut lui qui me fit prendre conscience de ma crise personnelle en conseillant à tante Clara de rentrer au Vieux Presbytère.

« Vous trouverez peut-être des indications valables parmi les papiers de miss Knowles, insista-t-il. Elle a certainement pris des notes, ou écrit des brouillons pour ses articles. Elle ne travaillait pas uniquement de mémoire. Elle avait bien des coupures de journaux concernant les gens qu'elle projetait d'interviewer. » Il avait essayé à différentes occasions de soulever ce problème, mais tante Clara n'avait jamais relevé pensant que l'inspecteur n'était poussé que par son désir de se débarrasser de nous. En tout cas, tante Clara décida subitement qu'il fallait rentrer au Vieux Presbytère, au moins pour Pâques. Lassitude? Déception? Désespoir? Un peu de tout cela sans doute.

Retourner dans cette maison que je n'avais jamais considérée comme étant mon foyer? Quitter Jonathan? Ne plus aller à la ferme? Etre contrainte de saccager le bureau d'Alison et de fouiller dans ses dossiers? Chercher un autre travail tout aussi routinier que le précédent? L'agent immobilier ne me reprendrait pas. Ils avaient été fort contrariés à l'agence quand ma tante, avec toute sa superbe, leur avait envoyé en mon nom le salaire d'une semaine tenant lieu de lettre.

Elle était occupée à faire ses valises quand je la quittai pour filer à Hunter Tor. Dans les bras de Jonathan, je déversai mes pressentiments.

— Tante Clara veut éviter la cohue. Elle pense que le week-end de Pâques va amener un flot de touristes. La police va se concentrer sur les accidents de la route et la circulation et elle ne fera rien... au sujet d'Alison, je veux dire. L'hôtel va être envahi et les prix vont monter. Je crois qu'elle sent à présent que c'est sans espoir... et elle veut rentrer chez elle pour soigner ses plaies. Je ne pense pas qu'elle revienne jamais à Devon... ou me laisse y revenir. Jonathan, que dois-je faire? Il faut que je parte avec elle... mais je ne supporte pas de vous quitter.

— La solution est simple. Epousez-moi dès que j'aurai la dispense de bans et restez ici, avec moi, si vous vous en sentez le courage.

— Le courage? Pourquoi aurais-je besoin de courage?

— Pour me faire confiance.

— Mais, bien sûr, j'ai confiance en vous. Je vous aime. Vous devriez le savoir. Vous ne supposez tout de même pas que je partage les soupçons de ma tante? Jamais l'idée ne m'en est venue. D'ailleurs, tante Clara semble avoir oublié aussi...

— J'en doute. Elle est convaincue que j'ai quelque chose à cacher... un passé plein d'ombre.

— Qui se soucie du passé?

Bien à l'abri dans ses bras, il m'était facile de me moquer de mes inquiétudes. Mais lorsque je fus face à ma tante, le soir de ce même jour, dans sa chambre d'hôtel, mon sentiment de sécurité me parut beaucoup moins évident.

Si elle avait donné libre cours à une émotion naturelle – un choc, une anxiété ou même de la colère – mon amour pour Jonathan et ma foi en lui se seraient levés en moi comme une marée chaude qui m'aurait permis de lutter. Mais, comme toujours, ce fut sa maîtrise inébranlable qui entraîna ma défaite. Ce fut cet air doux et désapprobateur à la fois, ce fut le bon sens irréfutable de ses commentaires méprisants; une fois de plus, je me retrouvai dans la catégorie des enfants sots et déséquilibrés.

Secouant sa tête aux cheveux blonds grisonnants impeccablement coiffés, tante Clara m'admonesta :

– Tu es bien puérile pour ton âge et impulsive; c'est grave. Tu trouves sans doute excitant cet air mystérieux. Tu regardes cette créature hirsute comme si c'était un héros déguisé. *La Belle et la Bête*, ou *La Grenouille qui était un prince*, par exemple. Malheureusement, dans la vie, les secrets d'un homme sont rarement à mettre à son crédit... pour m'exprimer en termes modérés.

– Pourquoi t'imagines-tu que Jonathan a des secrets?

– Ma chère enfant, cela saute aux yeux. Il est vrai qu'il s'est donné de la peine pour jouer son rôle d'éleveur de moutons mal léché et travaillant dur; mais ce n'est pas un acteur. Il n'est pas entré dans la peau du personnage. Sa voix, ses manières, tout son comportement le trahissent. J'affirmerais presque qu'il exerçait une profession intellectuelle, avant de faire fiasco. Il pourrait être un notaire révoqué ou un instituteur congédié.

– Il est fermier et il réussit.

– Ce ne doit pas être difficile pour un homme intelligent et instruit d'en apprendre suffisamment

40

sur les moutons pour en pratiquer l'élevage avec succès. L'homme n'est pas bête. Je te l'accorde.

— Ce n'est ni un idiot ni un coquin. Et je jurerais qu'il n'a jamais été mêlé à quoi que ce soit de louche. Tu n'as aucun motif pour le soupçonner ainsi.

— Alison en avait pourtant, elle. Quelle que soit l'affaire dans laquelle il s'est trouvé impliqué, ce devait être spectaculaire. Alison ne se serait jamais intéressée à un petit fraudeur qui détourne les fonds de ses clients.

— Alison s'est trompée en ce qui le concerne.

— Alison ne se trompait jamais sur les gens. Elle n'est pas allée l'interviewer sans s'assurer des faits.

— Alison n'était pas infaillible. Crois-tu encore que Jonathan lui ait assené un coup sur la tête et qu'il se soit ensuite débarrassé de son corps et de sa voiture, tout cela dans le seul but de l'empêcher d'écrire son article? Il faudrait être fou pour perpétrer un tel crime, simplement pour cacher un fait qui, selon ta théorie, aurait déjà été de notoriété publique en son temps.

Mes mains tremblaient, je les serrais violemment. Ma tante me répondit, sans passion :

— C'est la conclusion à laquelle je suis arrivée il y a quelque temps. Il a probablement payé sa dette pour ce qu'il a fait dans le passé; sinon, il ne vivrait pas au grand jour. S'il avait commis un délit – un vol considérable, par exemple – et s'il s'était enfui avec le butin qui lui permettrait de vivre, il est peu vraisemblable qu'Alison aurait eu connaissance de son existence.

— Eh bien, alors...

— Ce qui ne signifie pas que son passé soit sans tache. Loin de là. Simplement, comme l'on dit, il a payé sa dette à la société. On voit que c'est un homme qui a du tempérament. Il pourrait avoir commis un meurtre sans préméditation. Je l'imagine très bien étranglant sa femme dans un accès de colère, ayant découvert son infidélité. Ou bien il a pu tuer l'amant.

– Ton imagination bat la campagne... pour me faire peur. Il y a des tas de raisons, tout à fait innocentes, qui peuvent inciter un homme à se faire fermier. La santé, par exemple.

– Est-ce la raison qu'il t'a donnée? L'homme est vigoureux comme un chêne.

– Il ne m'a donné aucune raison parce que je ne lui en ai pas demandé. Je ne veux pas savoir. J'ai horreur de fouiller dans le passé des gens.

– Ainsi, tu te prépares à épouser un homme dont tu ne sais absolument rien, sinon qu'il figurait sur la liste d'Alison?

– Oui, oui, je suis prête. Et... tu ne m'en empêcheras pas, tante Clara. Je suis majeure.

– Tu le lui as dit, sans doute. Lui as-tu dit aussi que dans le cas où tes curateurs n'approuveraient pas ton mariage, ils conserveraient la gestion de ta fortune jusqu'à tes vingt-cinq ans?

– Je n'ai même pas mentionné ces fonds en dépôt. Il n'est absolument pas au courant.

– Si tu crois cela, alors, tu croiras n'importe quoi. Il n'est pas douteux qu'il s'est renseigné sur toi.

– Je suis certaine qu'il ne l'a pas fait.

– Es-tu folle au point de croire que cet homme est tombé vraiment amoureux de toi? En vertu de quoi? Crois-tu qu'un homme puisse t'aimer?

Ma tante avait un talent incomparable quand il s'agissait de me réduire à un état d'infériorité, de m'ôter toute assurance et de me donner l'impression de n'être pas à ma place. Je croyais m'être endurcie et maintenant j'étais piquée – plus à cause de Jonathan que de moi-même, d'ailleurs. C'est ce qui me poussa à rétorquer :

– Tout le monde ne s'intéresse pas qu'aux apparences. Ce fut le cas de mon père. Je ne suis pas une beauté, mais ma mère non plus n'en était pas une et il a ressenti pour elle...

Pour une fois, j'avais percé l'armure. Elle devint si pâle que le rouge soigneusement appliqué sur ses pommettes se détacha violemment. L'arête de son nez camus transparut fortement sous la peau, elle pinça subitement ses lèvres fermes.

— Ta mère... (sa voix sembla craquer comme la glace qui éclate), elle m'a fait le mal le plus atroce qu'une femme puisse faire à une autre... mais ton père était encore plus à blâmer. Elle était jeune, insouciante, et c'était une forte tête. Elle ne s'est pas rendu compte... (Après un long silence elle ajouta :) Je suppose qu'Alison t'en a parlé.

— Oui, il y a longtemps. Pour m'expliquer pourquoi tu ne pouvais pas t'occuper véritablement de moi. J'ai pourtant essayé de te plaire, mais inutilement. Je voulais tant être aimée, comme mes parents m'avaient aimée. Maintenant... maintenant, je suis aimée et seul m'importe Jonathan March. Rien d'autre. Comprends-moi donc.

— Pauvre petite folle ! Un homme pareil ! Combien de temps durera ce mariage ? Juste le temps de mettre la main sur ton argent.

— La venue de Jonathan est excellente pour mon argent. A moi, cette fortune ne m'a jamais apporté de bonheur...

— Au moins, tu es en vie. Souviens-toi des femmes de Barbe-Bleue.

— C'est absurde... fantastique...

— Il va te pousser à faire un testament en sa faveur, bien sûr. Et puis, dans ce coin sauvage et solitaire, ce lui sera facile de mettre en scène un accident mortel. C'est un scénario qui revient plus souvent que tu ne le penses.

— Vraiment ? Vraiment, tante Clara ?

Tout à coup, dans cette chambre impersonnelle

aux meubles très ordinaires, j'eus l'impression d'être enveloppée de glace. Ce n'était que glace autour de moi et en moi. Ce ne fut pas seulement les paroles de ma tante qui me plongèrent dans ce froid horrible; ce fut aussi le ton calme et objectif sur lequel elles étaient dites.

– Facile de mettre en scène un accident mortel? Tu en as peut-être déjà discuté avec Alison? Avez-vous décidé comment, quand et où?

Ses yeux étaient toujours du même bleu dur, mais j'y décelai à présent du venin. Ce fut néanmoins avec cet air détestable de fausse pitié qu'elle me lança :

– ... On te monte la tête. Décidément, cet homme t'a complètement ensorcelée, ma pauvre enfant!

– Enfant? Oui, je me suis comportée comme un enfant... un enfant stupidement confiant. Mais tu m'as ouvert les yeux. Alison a essayé... Oh! oui. A sa manière, Alison a souvent essayé de m'avertir! Je m'en rends compte maintenant. Elle n'a cessé de me faire comprendre ce que signifiait l'argent pour toi... et combien tu serais affectée de le voir s'envoler. Elle savait... ou du moins elle avait deviné ce que tu avais en tête.

– Ressaisis-toi, Flora! Tu es au bord de la crise de nerfs.

– Est-ce surprenant? « Facile de mettre en scène un accident mortel. » Est-ce la pensée d'une femme normale? Et exprimée avec autant de conviction? Non, à moins d'avoir eu cette idée en tête depuis des années.

– Prends plutôt de l'aspirine et allonge-toi jus-qu'au dîner.

– De l'aspirine? Cela peut tuer aussi, si l'on en prend suffisamment. De même que les somnifères. « Ne pas dépasser la dose prescrite ». Mais c'est facile de dissoudre trois ou quatre comprimés au lieu d'un seul dans une boisson chaude. Bien des gens sont morts d'une dose trop forte de ces médicaments... et tu as toujours quelques comprimés d'avance... ceux que le médecin t'a prescrits pour ta tension. Alison m'a dit... Alison...

J'étais hors de moi. Mes yeux se remplirent de larmes et ma gorge se noua. Je me précipitai vers la porte et la claquai derrière moi.

4

Je pénétrai dans ma chambre en trébuchant et je m'effondrai sur mon lit. Alison, pensai-je, à sa manière, avait essayé de me protéger, et je ne m'en étais pas rendu compte. Quand elle se moquait de mon emploi stupide et me pressait de me mettre à la recherche d'une situation intéressante, je croyais que ce n'était que de la méchanceté... ou même de la jalousie; parce que je vivais confortablement chez elle alors qu'elle devait se démener. Mais non. Elle me poussait bien à m'échapper... à me sauver pendant qu'il en était encore temps... avant l'accident... Oh! que c'est monstrueux! Incroyable! Ma propre tante... La sœur de ma mère.

Je laissai couler les larmes brûlantes le long de mes joues, je tremblai et grelottai comme si j'avais la fièvre. « On t'a monté la tête » – ... une expression typique de ma tante, malheureusement juste en un certain sens. J'étais horriblement choquée et secouée. Je m'imaginai des choses...

De toutes mes forces, j'aurais voulu croire que tout cela n'était que fantasmes, mais je ne pouvais pas. Cette certitude tranquille dans le ton de tante Clara ne s'expliquait pas de cette façon. N'importe quelle femme, n'importe quelle tutrice consciente de ses devoirs pouvait bien, en effet, déceler en

Jonathan ce que les parents démodés appellent un coureur de dot. Il était indéniable qu'il y avait des hommes pour épouser des filles fortunées, de même que de jolies filles pauvres se mariaient avec des milliardaires. C'était un fait. Mais... combien d'entre eux ont caressé l'idée d'éliminer le mari ou l'épouse après avoir pris possession de l'argent? Ce serait facile de « mettre en scène un accident mortel »... Certes. Mais il ne suffisait pas que ce soit facile, il fallait ensuite s'en sortir.

C'était encore plus facile pour une tante en apparence toute dévouée. Quand j'ai eu cette mauvaise pneumonie, deux hivers plus tôt, j'aurais pu en mourir... et qui aurait accusé ma tante? Seule Alison... mais quelle fille se serait décidée à accuser sa propre mère? Ce week-end où j'ai eu tant de fièvre parce que les antibiotiques n'agissaient pas sur moi, je me souviens maintenant qu'Alison était restée à la maison. Alison s'était instituée infirmière en chef. Ce fut Alison qui me soutint dans mon lit, m'obligeant à avaler les comprimés toutes les quatre heures.

J'avais été trop malade à l'époque pour avoir les idées claires, mais je me souvenais de ma surprise en découvrant la sollicitude d'Alison à mon égard. A ce moment-là, j'avais pensé que cette attention s'adressait surtout à sa mère; Alison voulait éviter toute fatigue supplémentaire à sa mère. Ce vendredi-là, rentrant de son travail, Alison avait immédiatement déclaré que je devrais aller à l'hôpital. Elle en avait parlé au médecin mais il lui avait dit qu'il n'y avait pas de lit libre. Une épidémie de grippe s'était abattue sur la ville et de nombreux vieillards étaient en plus mauvais état que moi. La malchance voulait que je fusse allergique à la pénicilline, mais il avait bon espoir, un autre antibiotique allait faire baisser la fièvre...

Oui, tout me revint en mémoire, comme un

cauchemar à moitié oublié. Je retrouvai le visage d'Alison, pour une fois sérieux, tandis qu'elle examinait le thermomètre. Je la revoyais m'apportant des boissons chaudes et des bouillottes, me forçant à avaler ces fameux comprimés. J'étais émue rétrospectivement, Alison m'avait probablement sauvé la vie. Sans elle, tante Clara se serait-elle donné autant de peine pour m'arracher à mon état proche du coma en me faisant prendre ces médicaments? Qui aurait su si je les avais pris? J'étais incapable de me débrouiller seule. L'idée que tante Clara ne me les avait pas administrés aurait-elle seulement effleuré le médecin surmené et harassé? Bien sûr que non. Il était notre médecin depuis de nombreuses années. Aucun doute pour lui ni pour mes autres tuteurs d'ailleurs : tante Clara me considérait comme sa seconde fille.

A l'époque, j'avais été surprise de voir Alison dans le rôle d'un « ange secourable ». Qu'elle eût été mon ange gardien... et pas seulement à cette occasion, était encore bien plus étonnant. Je n'avais pas supposé qu'elle ressentît à mon égard davantage que cette indulgence mi-amusée mi-impatiente, comme pour un petit animal domestique. Non. Mais elle veillait sur sa mère. Et tout était là. C'est sa mère qu'elle protégeait, bien plus que moi, je le compris brusquement. Elle ne voulait pas que sa mère eût ma mort sur la conscience.

Pauvre Alison! Je l'ai admirée. Je l'ai enviée. J'ai été mal à l'aise sous les boutades et sa langue acérée. Elle m'a souvent exaspérée. Jamais je n'aurais cru devoir la prendre en pitié un jour. Et pourtant, depuis des années, elle supportait le fardeau de cette crainte secrète... cette crainte obsédante que rien n'arrêterait sa mère si elle avait décidé de mettre ses mains avides sur ma fortune avant que j'en aie la libre jouissance. Si je mourais sans être mariée et sans testament, tout ce que je

47

laisserais irait alors à tante Clara, puisqu'elle était ma plus proche parente.

Tout? Qu'est-ce que cela pouvait bien représenter? On ne me l'avait jamais dit et je n'avais jamais rien demandé non plus. Je venais justement de recevoir une lettre du notaire, Bertram Reeding, me priant de passer à son bureau; elle m'avait été réexpédiée depuis le Vieux Presbytère. Je n'en avais même pas accusé réception. Rien n'avait eu d'importance tout d'abord, comparé à la mystérieuse disparition d'Alison et, ensuite, il y avait eu Jonathan March, qui occupait de plus en plus mes pensées.

Que disait Mr Reeding? Il y avait des papiers à signer, puisque j'avais atteint ma majorité; il était aussi question d'un testament que je devrais établir. J'avais fait lire la lettre à tante Clara, cela me semblait aller de soi. Elle avait souri avec froideur.

— Ces notaires! Il faut toujours que tout soit prêt avec eux. Il faudra bien que tu le fasses, mais vraiment, un testament à ton âge! On n'en voit pas la nécessité.

Non! De son point de vue, bien sûr, ce n'était pas « nécessaire » ni même désirable. Pourtant, si mes soupçons avaient quelque fondement, il était essentiel que j'en établisse un le plus tôt possible... pour ma propre sauvegarde.

Mon attitude avait toujours été puérile s'agissant de ce capital. Depuis le moment où Alison m'en avait parlé pour la première fois, il y a fort longtemps, je n'ai cessé de regretter la possession de cet argent et j'avais tout de suite éprouvé de la rancœur contre mes curateurs. Quel argent me dédommagerait jamais de la perte de mes parents! De plus, sans ce capital, je n'aurais jamais été remise entre les mains de tante Clara, elle n'aurait pas « adopté » une nièce sans le sou. Alison m'avait éclairée sur ce point.

A partir de treize ou quatorze ans, il m'arriva souvent de me révolter, pensant que j'aurais été plus heureuse dans un orphelinat, parmi d'autres enfants partageant le même destin que moi; au moins, j'aurais été traitée d'une manière impersonnelle, sans doute, mais sans discrimination. On ne m'aurait pas sans cesse comparée à ma cousine, me donnant ainsi le sentiment de mon imperfection et de mon infériorité irrémédiables.

Oui, j'avais haï cet argent qui avait fait de moi une prisonnière. J'avais détesté ces cotuteurs parce qu'ils étaient aveugles devant ma situation malheureuse. Je m'étais toujours tenue à l'écart. Je n'avais jamais tenté de parler avec eux. J'avais toujours répondu brièvement et avec une moue boudeuse aux questions bienveillantes qu'ils me posaient à chacune de leurs visites. Tante Clara avait coutume de me réprimander ensuite pour ma gaucherie et mes mauvaises manières. Il ne m'était pas venu à l'esprit que ma réserve froide faisait le jeu de ma tante.

Alison l'avait vu, bien sûr. Peu de choses échappaient à son œil perçant. Elle me dit un jour en se moquant :

– Idiote! Ne vois-tu donc pas de quel côté ton pain est beurré? Tu ferais mieux de leur parler gentiment et de les persuader de te verser une rente plus généreuse. Tiens-tu à ce qu'ils le couvent, ton argent? Dis-leur que tu veux une voiture et un poste de télévision en couleurs... Pourquoi pas?

– C'est que je ne veux rien recevoir d'eux. Ils se soucient de moi comme d'une guigne! avais-je répliqué avec irritation.

– Tu n'as même pas essayé d'éveiller leur intérêt. C'est ton argent, pas le leur. Pourquoi ne le dépenserais-tu pas? Tu n'as vraiment pas beaucoup de cervelle, Flora.

Comme d'habitude, Alison avait raison. Pourquoi ne l'ai-je pas écoutée? Comment ai-je pu ignorer qu'il y avait autre chose que de la méchanceté ou de la malice derrière ses sarcasmes? Ce n'était pas le désir de m'abaisser qui l'animait. Elle voulait me stimuler, pour que j'abandonne mon attitude puérile et passive. Oh! Alison... Quelle idiote je fus! Pourquoi n'as-tu pas parlé plus fort et plus net? Sans doute ne pouvais-tu pas lâcher ta propre mère. Peut-être avais-tu honte de tes soupçons... Tu te disais que c'était tellement incroyable... Non, tu as toujours été réaliste. C'est aussi ce qui fait que tu y vois clair quand les idoles populaires s'acharnent à créer l'illusion autour d'elles.

Pour la première fois, je prenais durement conscience de la disparition d'Alison; je n'avais encore jamais saisi ce qu'elle représentait pour moi ni tout ce que je lui devais.

Ayant toujours supposé qu'elle n'avait pour moi qu'un attachement gentiment affectueux, j'avais prétendu n'en avoir aucun pour elle. Puérile en cela autant qu'en ma jalousie irraisonnée et absurde. Je n'avais pas bon caractère, loin de là. J'avais l'esprit tortueux et j'étais renfermée. Certes, ma tante y était pour quelque chose, mais moi aussi. La rancœur et une espèce d'orgueil renfrogné avaient fait de moi un être rétif. Ce fut probablement ma faute autant que celle de tante Clara si mes amitiés romanesques étaient restées à l'état embryonnaire. Déjà exposées à son jugement sans complaisance, je n'avais rien fait pour empêcher qu'elles ne gèlent. Jamais je n'aurais osé croire qu'un homme pût m'aimer. J'avais peur d'être ridicule, de m'attacher à un homme et qu'il me repousse. J'avais réprimé si sévèrement mes émotions que je devais donner l'impression de n'en éprouver aucune.

Mais alors, pourquoi était-ce différent avec Jonathan? Pourquoi avais-je abandonné toute défense face à lui? Pourquoi l'avais-je aimé presque immédiatement? Tout se passa comme si nous nous étions reconnus. Jonathan n'était pas romantique et moi, tante Clara me l'avait rappelé, je n'étais pas une beauté. Pourtant, il y eut un appel réciproque... et chacun de nous y répondit.

Solitude de part et d'autre? Besoin mutuel? Non. C'était plus profond. C'était un sentiment d'appartenance mais c'était également de la passion : sauvage, irrésistible, mais tendre aussi. J'avais confiance en lui. Sans doute existait-il un lourd secret dans son passé, sans doute y avait-il eu un drame dont il n'arrivait pas à parler. Il avait des raisons pour être venu s'installer dans ce refuge isolé qu'est Hunter Tor, comme un étranger. Pourquoi s'était-il coupé délibérément de ses amis, de ses parents? Je l'acceptais ainsi parce que je n'avais pas le choix; bien sûr, cette situation m'étonnait, mais j'étais décidée à ne poser aucune question. Il me dirait en son temps ce qu'il désirerait que je sache. Je me contenterai d'attendre. Il le fallait. Le passé n'avait pas d'importance. C'était notre avenir qui était en cause. Si j'avais une chance, je devais la saisir. Si je perdais Jonathan maintenant, ma vie ne vaudrait plus la peine d'être vécue. Dans ce cas, autant encourager tante Clara à mettre en scène cet « accident mortel ».

Tante Clara? Pourquoi m'effondrais-je devant elle, me transformais-je en une créature tremblante et pleurnicharde? Elle n'était plus rien à présent... à présent que j'avais Jonathan. Je venais d'entrevoir ce qui se passait en elle et cet éclair avait agi sur moi comme un révélateur. Peut-être prenais-je la chose trop sérieusement? Il se pouvait qu'elle souhaitât ma mort avant que j'aie le droit de disposer de mon capital. Peut-être aurait-elle laissé cette pneumonie faire son œuvre si Alison n'était pas intervenue. Cela ne signifiait pas qu'elle préméditât délibérément ma mort. Elle en avait peut-être le désir, mais aurait-elle la force nerveuse nécessaire? Plus je réfléchissais à cette affaire, plus elle me semblait fantastique. A-t-on déjà vu une femme d'âge mûr, de fréquentation agréable, comme lady Cheeseley, assassiner sa nièce de sang-froid!

Je me représentai la réaction de mes cotuteurs si je me permettais d'y faire seulement une allusion. Ils penseraient que je suis folle. Ou bien? Seule, Alison... mais je pouvais me tromper. Il se peut qu'Alison m'ait soignée dans le seul but d'épargner à sa mère les fatigues d'une telle charge. De toute façon, quelle importance? Je serai hors d'atteinte des griffes de tante Clara quand je serai la femme de Jonathan.

Je sautai du lit. J'effaçai les larmes de mon visage. Je quittai mon tailleur chiffonné et brossai mes cheveux. Mes mains étaient tout à fait sûres quand j'appliquai une touche de couleur sur mes paupières pour dissimuler leur rougeur.

Mon premier mouvement fut de courir au téléphone, en bas, pour appeler Jonathan et lui dire que je l'épouserai dès qu'il aurait la dispense de bans. Puis j'hésitai. Comment pourrais-je lui dire tout ce que j'avais sur le cœur par téléphone? La cabine était dans le hall. Les clients allaient et venaient. Bien que les cabines fussent insonorisées, je me sentirais gênée. Pire, tante Clara pouvait me voir en allant dîner. Elle serait bien capable d'ouvrir la porte et de me prendre le récepteur des mains. Elle insisterait pour parler à Jonathan...

Comment pouvais-je être sûre qu'il ne l'écouterait pas? Il était fier et susceptible. Si elle lui lançait cette fameuse fortune en pleine figure, comment réagirait-il? Ne serait-il pas étonné de mon silence à ce propos? Ne l'interpréterait-il pas comme un manque de confiance en lui? Il me connaissait depuis trop peu de temps pour comprendre la raison de mon mutisme.

Je lui avais parlé de la mort de mes parents, mais je n'avais donné aucun détail sur ma vie avec tante Clara et Alison. Je ne voulais pas avoir l'air de quémander sa sympathie. Il savait que je travaillais dans les bureaux d'un agent immobilier. Il ne se doutait pas que je puisse avoir quelque argent...

Je pris en hâte mon manteau en poil de chameau et mon sac à main. Je volai littéralement en descendant les escaliers. Je me retrouvai dans le garage, fouillant dans mon sac, à la recherche des clés de ma voiture et c'est seulement à ce moment que je m'aperçus que j'étais en pantoufles. Tant pis, me dis-je. L'important est que je voie Jonathan avant que tante Clara n'entre en contact avec lui pour distiller le poison dans son esprit.

Elle ne me laisserait pas l'épouser si elle pouvait m'en empêcher, j'en étais convaincue. Toutefois, selon la loi, je n'étais plus sous sa tutelle et toutes ses belles paroles ne me feraient pas changer d'avis. Elle s'en rendait bien compte et c'est pour cela qu'elle allait maintenant viser Jonathan. Avait-elle le pouvoir de dresser un barrage qui le fît reculer devant une union avec moi?

Sous le beau clair de lune, la lande avait un air étrange et désolé. Les blocs de pierre et les masses estompées des rochers me faisaient songer à des monstres fantastiques surgis de la préhistoire. Les moutons eux-mêmes avaient quelque chose de fantasmagorique et d'irréel.

Bien qu'enveloppée dans mon chaud manteau et malgré le chauffage poussé à fond de ma voiture, je tremblais. Jonathan m'avait demandé ce que j'éprouverais si je me trouvais bloquée avec lui, dans la neige, dans cette ferme isolée. J'avais évité de répondre. Je pensai que, auprès de lui, je me sentirais toujours en sécurité. A présent, de vagues pressentiments s'accumulaient en moi. Et si les routes étaient impraticables, et si les lignes téléphoniques étaient coupées – c'était fréquent par mauvais temps, m'avait-il dit – ne prendrais-je pas alors davantage conscience de l'isolement et n'en aurais-je pas peur?

Nous étions des étrangers l'un pour l'autre. Affectivement et physiquement, nous étions attirés l'un vers l'autre; mais que savais-je de sa mentalité? Et si, à vivre ainsi isolés, nous en venions à nous quereller et à nous user mutuellement les nerfs? Jonathan avait l'habitude de vivre seul. Moi, je n'avais jamais été seule. Et si j'en arrivais à exiger trop de son temps et de son attention? Etais-je capable de m'endurcir et de rester seule dans la maison pendant qu'il serait sur la lande à surveiller son troupeau? Il avait choisi de vivre à Hunter Tor, c'était son refuge; il y était protégé d'un monde qui l'avait traité durement. Souhaitait-il vraiment partager son refuge avec moi? Quelle raison avait-il de le faire? La seule réponse valable était qu'il m'aimait, mais tante Clara avait déjà réussi à m'en faire douter. Pourquoi m'aimerait-on? Qu'avais-je à offrir en dehors de ma fortune?

Je tentai désespérément de boucher mes oreilles à l'écho de sa voix glacée, mais en vain. Combien de temps durerait ce mariage? Qu'était-il advenu de la première femme de Jonathan? L'avait-elle quitté et avait-elle divorcé? Ou était-elle morte?

« Facile de mettre en scène un accident mortel... » Sa femme avait-elle été victime d'un accident mortel? Etait-ce cela qu'Alison avait appris? Ou bien Alison s'était-elle trompée, exceptionnellement? Dans ce cas, pourquoi avait-il fabriqué ce prétexte invraisemblable pour expliquer sa visite?

La route était glissante et les roues de la voiture

chassaient. Mes mains étaient agrippées au volant. Je n'aimais pas porter de gants en conduisant. Mes doigts étaient froids et engourdis et aussi ma nuque, sous le poids de mes cheveux. Je fus presque prise de panique tandis que je descendais la colline escarpée qui aboutissait au village. Mais... il fallait continuer... il fallait arriver jusqu'à Jonathan. Je ne pouvais pas retourner en arrière. Jonathan était l'inconnu; mais le connu était trop plein de menaces. Je faisais confiance à Jonathan. Je ne pouvais plus faire confiance à ma tante.

5

Hunter Tor était enveloppé d'obscurité et de silence et mon cœur battait la chamade. Puis, en traversant la cour pavée, trébuchant dans mes pantoufles légères, j'aperçus un rai de lumière qui filtrait entre les lourds rideaux de la cuisine; le chien se mit à aboyer. C'était un aboiement timide. C'était une bête très calme, comme son maître. « C'est un homme si tranquille », avait déclaré tante Clara, avec un air qui insinuait que cette tranquillité était étrange et sinistre. « Il n'y a pire eau que l'eau qui dort », qui pouvait deviner ce qui se cachait dessous?

Qui pouvait deviner et qui s'en souciait? La vase des rivières est inoffensive, tant que l'on ne l'agite pas violemment, pensai-je. Alison avait plaisir à remuer la vase. Pas moi. J'étais heureuse – ou presque heureuse – d'accepter Jonathan tel qu'il était, tel qu'il m'apparaissait. J'avais pénétré dans ce qu'il appelait sa solitude. Je n'avais pas l'intention de la rompre.

J'arrivai à la lourde porte de chêne et tournai la

poignée avec précaution. J'avais craint qu'elle ne fût fermée, mais elle céda sous ma pression. Tout en gardant la main sur la poignée, je lançai un coup d'œil dans la pièce. Une grande lampe à pétrole jetait une lueur douce sur la table. Il n'y avait pas d'électricité à Hunter Tor. Le chien, couché près de la cuisinière, leva la tête, dressant les oreilles. Il aboya de nouveau puis, me reconnaissant sans doute, battit la carpette de sa queue bien fournie.

Jonathan était près du téléphone, me tournant le dos, l'écouteur à l'oreille. Il avait l'air exagérément grand et raide dans ce coin obscur de la pièce. Il était en train de parler :

– Oui, je comprends. Non. Elle n'est pas ici... Non. Je ne pense pas qu'elle soit une névrosée... et je n'ai certainement pas l'intention de l'enlever de force. J'espère l'épouser, mais elle est libre. Je n'ai exercé aucune pression... Excusez-moi, lady Cheeseley, mais cela n'est pas votre affaire...

Puis, sans doute alerté par l'aboiement du chien ou conscient de mon regard anxieux, il tourna la tête vers moi. J'esquissai un pas en avant. Je crus qu'il souriait mais son visage était dans l'ombre et je ne saurais l'affirmer.

Il dit encore un bref « Au revoir ! » et posa le récepteur.

– Jonathan... Tante Clara ?

Ma voix était incertaine et j'étais toute tremblante en m'approchant. Il hocha la tête, sans sourire. Des rides profondes barraient son front large.

– Pourquoi es-tu venue ? (Il y avait de l'irritation et du mécontentement dans sa voix. Il ne fit pas un mouvement vers moi.) Il gèle cette nuit et les routes doivent être glissantes.

– Oui... mais je suis là. Je ne pouvais venir qu'ici. Qu'importe ? Tu ne veux pas ? Oh ! Jonathan... Ne sois pas en colère contre moi. Il fallait que je te voie !

Je m'étais précipitée vers lui, l'empoignant comme un garde-fou. Son chandail en cachemire était doux sous mes doigts, mais je pris instantanément conscience de la rigidité de ses bras... de tout son corps. Il était planté là comme un roc, silencieux et immobile. J'eus cette impression atroce qu'il se raidissait volontairement.

— Jonathan aimé... Qu'y a-t-il? Tu m'as dit que tu m'aimais. Tu as dit à tante Clara que tu allais m'épouser. J'ai entendu. Tu... Tu n'as pas changé d'idée en l'espace d'un éclair.

Il secoua la tête et sa barbe soyeuse me caressa doucement le front.

— Je ne suis pas certain d'en avoir le droit. Tu es très jeune. Tu as toute la vie devant toi. Est-ce bien de ma part de t'entraîner? Je crois que je ferais mieux de te renvoyer... avant qu'il soit trop tard. Pour ton bien.

— Mais il est déja trop tard. Je t'aime. Je ne veux pas te quitter. La vie ne vaut rien sans toi. De toute façon, je ne vivrais pas longtemps, tante Clara y veillerait. Elle a dit...

J'étais incapable de poursuivre, ma gorge était serrée, j'étouffais presque. Je cachai mon visage dans son chandail et je laissai couler mes larmes brûlantes.

— Tu frissonnes. Viens plutôt dans l'autre pièce, près du feu.

Il parlait sans passion. Il libéra un bras auquel j'étais toujours agrippée et le passa autour de mes épaules, avec fermeté mais non possessivement. Il me dit sur un ton plus doux tandis que je levai vers lui mes yeux brouillés par les larmes :

— Pour l'amour du ciel, ne pleure pas! Je ne supporte pas les larmes. Elles ont toujours signifié ma perte...

— Toujours? Que veux-tu dire? M'as-tu déjà vue pleurer? Qui d'autre t'a inondé de larmes?

Ce « toujours » fut comme une éponge d'eau glacée sur mon visage. Il m'entraîna vers la porte, sans doute dans ce qu'il avait appelé « l'autre pièce », que je n'avais encore jamais vue; il me répondait en même temps :

– Peu importe? Je voudrais que tu me comprennes, ma chérie. Je ne voudrais pas te faire du mal. C'est tout. J'aurais dû veiller à empêcher cela... mais ce fut si inattendu. Je n'avais aucune chance d'échapper, cet après-midi où je t'ai trouvée devant la porte; tu es entrée directement dans mon cœur.

– Oh, Jonathan! Tu m'aimes donc?

Un soupir de soulagement monta du plus profond de moi.

– Mon Dieu, oui! Mais... je ne voulais pas que tu t'en aperçoives. Je suis un sacré égoïste. J'aurais pourtant dû savoir. Maintenant, je ne sais pas quoi faire... dussé-je y perdre ma vie...

– Promets-moi de ne jamais cesser de m'aimer et de m'épouser très vite. C'est tout ce que tu as à faire.

– Si seulement c'était aussi simple que cela!

– Mais, ça l'est. Honnêtement, ça l'est. Je n'aurais jamais dû demander « qui d'autre? ». Oublie-le, je t'en prie. Je ne veux pas connaître la réponse. Ce n'est pas important!

Entrant dans « l'autre pièce », je fus si étonnée que je demeurai momentanément silencieuse. Au cours de mes précédentes visites, je n'avais rien vu de la maison, sauf la cuisine et le cabinet de toilette contigu. J'aurais bien voulu en voir davantage, mais Jonathan n'avait jamais offert de me faire les honneurs de la maison et je m'étais abstenue de l'en prier. Je m'étais imaginé que les autres pièces étaient vides et inoccupées; qu'il n'avait pas pu les meubler.

Cette « autre pièce » fut un choc... et une révélation. Les occupants précédents l'avaient probablement baptisée « pièce du devant » ou « le petit salon », la réservant pour les grandes occasions. Actuellement, ce pourrait être le cabinet de travail ou la bibliothèque d'un petit manoir. Les murs n'étaient pas en pierre brute, comme dans la cuisine; ils étaient lambrissés à mi-hauteur de panneaux en chêne avec un lourd brocart genre papier peint au-dessus, d'un ton or, chaud et profond. Aux fenêtres, des rideaux de brocart gris contrastaient joliment avec la couleur rousse de la moquette épaisse qui recouvrait entièrement le sol.

Un bureau massif en chêne sombre se dressait près des fenêtres. Deux des murs étaient occupés par la bibliothèque vitrée. Le plafond bas était soutenu par des poutres en chêne. Un grand feu flambait dans la vaste cheminée en pierre. Un canapé et deux fauteuils flanquaient l'âtre, tapissés en tweed roux et or. Une belle peau de mouton était étalée devant.

Doucement éclairée par la lueur de deux lampes à pétrole, la pièce était chaleureuse et accueillante.

Jonathan me conduisit près du feu et me fit asseoir sur le canapé. J'éprouvai une impression étrange en remarquant l'empreinte laissée dans les coussins de velours gris, à l'une des extrémités.

Jonathan devait être étendu sur ce canapé quand le téléphone avait sonné. Je touchai le creux imprimé dans le coussin du dessus, et je crus sentir une douce chaleur sous mes doigts froids.

– Quel bon feu! Cette pièce est très agréable, mais...

– Inattendue? suggéra-t-il sans sourire, tandis que je m'efforçai de modérer mon étonnement.

– D'une certaine manière oui, mais pas à cause de toi; au contraire, ce décor s'accorde bien avec toi...

Je me tus aussitôt, les suppositions de ma tante me revenaient en écho, martelant mes oreilles. Bien sûr, elle avait raison, m'avouai-je avec embarras. C'était le cadre d'un intellectuel. Avec tous ces livres! L'antre d'un instituteur? Ou d'un homme de loi? En tout cas, ce n'était pas ce que l'on s'attendrait à trouver chez un fermier de Dartmoor. Certes, toute règle a ses exceptions mais, en général, les éleveurs de moutons n'ont ni le temps ni l'envie de se livrer à des activités intellectuelles. Jonathan était debout sur la peau de mouton, le regard baissé sur moi, plus songeur que tendre ou compatissant. Ma réponse fut un regard tout aussi inquisiteur, mi-défiant, mi-défensif. Il portait son chandail en cachemire gris et un pantalon bien coupé en velours côtelé de couleur fauve. L'idée me vint tout à coup qu'il aurait l'air tout à fait différent s'il rasait sa barbe hirsute et coupait ses longs cheveux répandus sur ses épaules. Est-ce pour se fabriquer une espèce de déguisement qu'il a laissé pousser ses cheveux et sa barbe? Ou pour se donner une apparence plus crédible en tant que fermier?

Dans quel but? Que fut-il autrefois? A quoi, ou à qui a-t-il voulu échapper en se réfugiant ici? A première vue, il semble qu'il ait voulu se confondre avec son environnement mais, comme tante Clara l'avait si finement perçu, il n'avait pas réussi à déguiser sa voix ni son maintien. Ce déguisement – si c'était de cela qu'il s'agissait – m'apparut brusquement bien fragile. Alison, par exemple, l'aurait pénétré instantanément. L'avait-elle fait? Il ne l'avait pas nié, je me le rappelai avec gêne. En fait, il avait avoué qu'elle avait tenté de le faire chanter. Cependant, même dans ce cas, cela n'expliquait pas – ne pouvait pas expliquer – sa mystérieuse disparition, me dis-je désespérément. J'étais incapable de me représenter Jonathan – celui que j'aimais – s'abandonnant à la violence. Il lui aurait dit : « Publiez et allez au diable ! »

– Qu'y a-t-il ? Qu'est-ce qui me vaut ce regard aussi insistant ?

« Qu'y a-t-il ? » au lieu de la forme incorrecte mais plus usuelle « qu'est-ce qu'il y a ? ».

– J'ai tout dit à tante Clara... à notre sujet... Elle n'approuve pas. Je m'y attendais. Mais... Oh ! Jonathan, ce fut un cauchemar ! Elle... comment dire, elle m'a fait peur... et elle s'en est aperçue.

– Je suppose qu'elle t'a fait peur pour que tu m'abandonnes ?

– Oui, mais c'est l'inverse qui s'est produit.

– Comment cela s'est-il passé ?

– Quand elle m'a dit qu'il te serait facile de mettre en scène un accident mortel, j'ai eu la révélation que c'était là ce qui la travaillait... qu'elle désirait ma mort. C'est ce qui a failli arriver il y a deux ans, quand j'ai eu cette mauvaise pneumonie. Mais Alison était restée à la maison pendant le week-end pour me soigner.

– Un accident mortel ? (Il répéta ces mots, comme si c'était les seuls qu'il eût enregistrés.) A Dieu ne plaise ! Pas encore...

– Pas encore ? Que veux-tu dire ?

Il ne répondit pas. Ses traits avaient pris cette raideur et cette impassibilité que je commençais à reconnaître comme un signal d'alarme. Malgré la chaleur que dégageait la cheminée, je sentis à nouveau le froid glacial m'envahir.

Pas encore. Ces mots lui avaient échappé malgré lui. Sans doute se trouva-t-il impliqué autrefois dans un accident mortel ? De qui s'agissait-il alors ? De sa première femme ? Avait-il été marié, comme le supposait tante Clara ?

Nous restâmes silencieux pendant un long moment. Je le sentis tendu mais, au delà, je sentis aussi sa douleur, comme s'il venait de recevoir un coup de couteau dans une blessure à peine cicatrisée. Je n'avais encore jamais deviné avec autant d'acuité les sentiments et les souffrances d'une autre personne. C'était une impression étrange qui m'ôtait mes forces. Etions-nous donc déjà si proches l'un de l'autre, au point que son chagrin fût aussi le mien? Je ne supportai pas de le voir ainsi blessé.

— Je suis désolée. Je n'ai pas réfléchi. Je ne veux pas savoir. J'ai juré de ne pas questionner. Que le passé ne s'interpose pas entre nous... Jamais. C'est fini maintenant.

— C'est ce que l'on se dit... qu'il est possible de laisser son passé derrière soi et de repartir tout neuf. Mais ça ne marche pas. Les ombres s'allongent. Les gens ont de la mémoire. Il vaudrait mieux que tu partes; oublie-moi.

— Je ne peux pas! Ne le vois-tu pas? Je ne peux plus te quitter. Je n'ai pas peur des ombres. Elles seront aussi les miennes. Je peux faire face à n'importe quoi... si tu m'aimes. Je ne suis pas une enfant. Je sais ce que c'est que d'avoir mal. La pire des choses serait que je te perde.

— Ma chérie... Je suis tenté de te croire, mais...

— Pourquoi ne pas me croire? Il le faut!

Je me levai vivement et lui saisis les mains. Je le poussai vers le canapé, ignorant sa raideur et sa résistance et je me jetai dans ses bras. Ils se refermèrent sur moi, dans un geste involontaire.

— C'est bon! Si tu es certaine. S'il ne s'agit pas simplement d'une réaction après la querelle que tu viens d'avoir avec ta tante.

— Non, je te le jure. Querelle? C'était plus grave que cela. Je l'ai virtuellement accusée de vouloir me tuer. Ce fut affreux... J'ai réalisé subitement qu'elle m'avait toujours haïe et ne m'avait tolérée qu'à cause de ce maudit argent.

— Quel argent? Elle m'accusait justement de vouloir m'approprier une fortune qui t'appartient. Je ne savais pas que tu possédais quelque chose...

En hésitant, je lui racontai la mort tragique de mes parents dans ce car qui s'était retourné et de l'indemnité que tante Clara avait obtenue.

– Elle a puisé sur le revenu pendant toutes ces années passées? Quel montant?

– Je n'en ai aucune idée. Je ne l'ai jamais demandé. Alison m'en a parlé un jour. Je crois qu'elle avait mentionné 50 000 livres, mais peut-être était-ce exagéré.

– Pas précisément ce que l'on peut appeler une immense fortune... Je suppose que sa perte entraînerait des bouleversements dans le train de vie de ta tante. Je comprends alors pourquoi elle est contre tout projet de mariage, mais j'ai du mal à croire qu'elle irait jusqu'à te tuer, mon amour.

– Peut-être pas, mais cette idée occupe son esprit. Et maintenant qu'elle connaît mes sentiments à son égard, je ne peux pas revenir chez elle. Je resterai ici, avec toi, Jonathan... à moins que tu ne me fasses partir de force.

– De force? Me crois-tu capable d'employer la force contre toi, ma Flora? Mais... as-tu songé aux inévitables conséquences?

– Ce que les gens vont dire? Laisse-les dire! Je ne peux pas affronter tante Clara...

– Certainement pas cette nuit. Tu resteras ici. Il y a du verglas et la neige va probablement tomber. Tu dormiras dans ma chambre et je me reposerai sur le canapé, ici. En attendant, pelotonne-toi et dors un peu, je vais mettre ta voiture à l'abri et je prépare de quoi manger.

Je fus sur le point de dire : « Je vais avec toi », mais je me tus. Je l'avais assez dérangé pour ce soir. Il est probable que je me sentirai foncièrement mal à l'aise demain, en me remémorant la façon dont je l'avais assailli. Je ne lui avais laissé aucune possibilité de m'éviter. Je tins à me justifier :

— Ce n'est pas mon genre de m'accrocher ainsi comme du lierre, mais j'ai été si secouée.

— Je sais. Ne t'inquiètes pas. (Il se dégagea doucement et se leva en souriant.) Accroche-toi aussi fortement que tu veux... pourvu que ce soit définitif. C'est bon de savoir que l'on a besoin de toi, mais de là à ne jouer que les utilités...

— Les utilités ?

— Oui. Ou, si tu préfères, être un refuge temporaire, ou une arme, ou une issue de secours. Je refuse d'être utilisé, Flora. Plus jamais. Rappelle-toi cela. Une fois que tu seras à moi, je ne te quitterai plus. Je ne veux pas croire que l'histoire se répète indéfiniment...

Son sourire s'était évanoui et sa voix était devenue dure. Puis il sortit brusquement sans achever sa phrase.

Je m'installai sur le canapé, mais pas pour y dormir. Mon cerveau était actif, fébrilement, et confusément; comme les paysages familiers qui se déforment et deviennent flous dans le brouillard qui planait souvent au-dessus de la lande.

« Plus jamais »? Pourquoi Jonathan avait-il tant appuyé sur ces deux mots, comme s'il les avait eus sans cesse en tête? Qui l'avait déjà utilisé comme « refuge temporaire », comme « arme » ou « issue de secours »? Pourquoi ne me le disait-il pas?

J'avais juré de ne pas questionner... n'avais-je pourtant pas le droit de savoir? Pourquoi ce mystère? S'il m'aimait, ne pouvait-il pas me faire confiance? Me croyait-il incapable de le comprendre? Il avait parlé d'ombres. Je n'avais pas peur des ombres, mais je préférais de beaucoup affronter des faits. Je pouvais accepter des faits, mais étais-je capable de résister à des craintes vagues ou à des suppositions? Les réticences de Jonathan étaient peut-être dues au désir qu'il avait de me protéger; mais il ne pourrait pas me protéger contre ma propre imagination...

6

Jonathan ne m'invita pas à passer dans la cuisine.

Il apporta dans « l'autre pièce » deux plateaux avec deux assiettes de ragoût de mouton brûlant et un pot de café odorant.

Les assiettes en faïence jaune venaient de la poterie de Devon mais les cuillères étaient en argent massif et les tasses à café en porcelaine de Derby. Je dis presque malgré moi :

— Ces tasses ont une grande valeur. Elles ne sont sans doute pas destinées à l'usage quotidien?

— Ce n'est pas un jour comme les autres, n'est-ce pas? C'est quelque chose comme une grande occasion. De la valeur, vraiment? Je n'en sais rien.

— C'est donc que tu ne les as pas achetées?

Il secoua la tête, sans un mot. Je réprimai un soupir. Fallait-il qu'il fût peu communicatif! Il pourrait tout de même dire comment et où il était entré en possession de ces tasses.

Nous mangeâmes en silence. C'était délicieux et je me réchauffai. Où avait-il appris à faire la cuisine? Etait-ce un don naturel? Certains célibataires l'ont. D'autres ne mangent que des conserves et des aliments surgelés tout préparés. Célibataire? A en croire tante Clara, Jonathan n'était pas célibataire.

— Tu as déjà été marié, n'est-ce pas? Pourquoi en fais-tu un secret? Il faudra bien que tu le mentionnes sur notre dispense de bans, non?

J'avais essayé de prendre un ton aussi naturel que possible. Il rétorqua en levant ses sourcils épais :

– Un secret? Absolument pas.

– Tu ne m'as jamais parlé de ta femme.

– Il y a si longtemps. Il me semble qu'il y a un siècle. J'étais très jeune... aussi jeune que toi aujourd'hui. Sibylle avait trois ans de plus que moi. Ça n'a pas duré longtemps...

Sibylle? pensai-je, le cœur battant. Il était marié avec une fille qui s'appelait Sibylle... Comment était-elle? L'a-t-il beaucoup aimée? Que s'est-il passé?

J'étais silencieuse, mais peut-être lut-il ces questions dans mon regard. En effet, il poursuivit :

– ... Aujourd'hui, c'est difficile de comprendre comment c'est arrivé. Elle était la fille du directeur... sa fille unique; il l'adorait. D'un autre milieu que le mien, pouvait-on penser.

– Le directeur? Ton directeur?

– Le directeur de mon collège. J'étais alors étudiant. Le directeur s'était remarié et Sibylle ne s'entendait pas avec sa belle-mère. Je pense qu'elle m'a considéré comme une issue de secours.

Il ne manifesta aucune impatience en me donnant ces explications.

– Ah? Tu n'étais pas amoureux?

Il haussa les épaules :

– J'étais en admiration devant elle, bien sûr. Comme la plupart d'entre nous. Elle était très jolie. Les jeunes d'aujourd'hui diraient qu'elle était « dans le vent ». Je ne sais pourquoi c'est moi qu'elle cueillit et je ne l'ai jamais su. Elle était imprévisible, fascinante, vive et, comme je m'en suis aperçu plus tard, instable. Son père avait toujours été inquiet pour elle. Il espérait que ce mariage serait une espèce d'ancre pour sa fille.

– Oui?

– Sa belle-mère a bien essayé de m'avertir. Je ne

l'ai pas écoutée. Qui l'aurait fait, à vingt et un ans? J'étais excité et flatté et, temporairement du moins, au zénith du bonheur. Sans doute n'était-ce qu'un paradis de fous, mais cette première année fut merveilleuse. Son père loua une maison pour nous. Je travaillai dur pour mon examen de fin d'études et Sibylle était comme une petite fille; elle jouait à la maîtresse de maison, à donner des soirées. Elle avait d'innombrables amis. Trop, disais-je parfois, mais elle se moquait de moi, me demandant de ne pas être jaloux... (Il fit une pause pour servir le café, un pli moqueur aux lèvres.) As-tu vraiment envie d'écouter cette histoire? C'est si loin!

— Je t'en prie. A moins que tu n'aies trop mal en parlant d'elle... de ta femme.

— Plus maintenant. Notre mariage n'en était pas un, au vrai sens du terme. C'était plutôt un flirt légalisé. Je m'en rendis compte après mon examen, quand mon premier poste me conduisit dans une petite école communale. Je tenais absolument à réussir. J'étais contraint d'accepter les subsides du père de Sibylle et je n'aimais pas cela, même sachant qu'il était riche. (Il remua son café distraitement, il semblait loin, bien loin; puis il poursuivit :)... Sur le moment, je n'ai pas deviné que Sibylle détesterait vivre en province, dans une communauté pour ainsi dire isolée de tout et quelque peu conventionnelle. Elle avait toujours été adulée, la maison était constamment ouverte à toute une bande d'étudiants. Elle ne s'entendait pas avec les femmes des autres instituteurs. Sans doute exagérait-elle dans ses critiques à leur endroit. Elle les disait jalouses, elle les traitait de chattes méchantes et prenait un plaisir puéril à les choquer.

— Cela a dû te peser.

— Ce n'était guère plaisant, mais c'était ma faute autant que la sienne. Je n'ai pas su la prendre. Elle m'accusait de la négliger et de la critiquer. Elle n'avait pas l'habitude d'être désapprouvée et j'aurais dû le comprendre. Elle se mit à boire... Une manière de s'échapper, bien sûr... j'aurais dû m'en rendre compte. Elle s'échappait sans cesse, c'était dans sa nature. Elle m'avait choisi pour échapper à sa belle-mère. A l'époque, je devais être un jeune pédant insupportable. Au lieu d'essayer de la comprendre et de l'aider, je fus horrifié et je me mis en colère, lui reprochant de me laisser tomber. Je ne sais combien de temps cela aurait duré encore, avec ces violentes querelles suivies de réconciliations passionnées...

— Je ne t'imagine pas te querellant violemment, Jonathan.

— Je suis violent de tempérament et je me maîtrisais mal en ce temps-là. J'avais été déçu et j'avais mal pris la chose. J'étais parti avec de grands espoirs et beaucoup d'ambition. Et il me fallut me rendre à l'évidence; si je voulais que notre union survive, il me faudrait résilier mon poste et en trouver un autre dans un cadre où Sibylle ne se sentirait pas comme un poisson hors de l'eau. Ce fut pénible et j'étais amer. J'ai hésité... et quand je me suis décidé, il était trop tard.

— Pourquoi?

— La grand-mère de Sibylle mourut, lui laissant une petite fortune. Sibylle vit alors la solution de tous nos problèmes. Elle voulait que nous ayons notre propre école. Elle pensait que tout serait différent si elle était la femme du directeur, au lieu de n'être que celle d'un petit instituteur. Sa suggestion m'épouvanta. Je savais que je n'avais pas l'expérience nécessaire et – je l'ai déjà dit – j'étais un pédant collet monté. J'avais juré que je ne toucherais jamais à l'argent de ma femme. Je me sentirais mal à l'aise si je la laissais investir sa fortune dans cette entreprise casse-cou, sans rien en dire à personne. Or, j'étais certain d'échouer. J'étais trop jeune pour inspirer confiance aux parents et je n'avais pas le sens de l'organisation.

– Vraiment...

– Les choses allèrent de mal en pis entre nous. Sibylle s'acheta une des plus coûteuses voitures de sport et acquit un luxueux appartement à Chelsea. L'appartement devait être pour nous, pendant les vacances scolaires; mais quand l'année scolaire commença, Sibylle demeura plus souvent à Chelsea qu'avec moi. Il m'arrivait d'aller la rejoindre pour le week-end mais cela ne m'était pas toujours possible. Et puis je n'étais pas dans mon élément à Chelsea, parmi les nouveaux amis de Sibylle qu'elle réunissait pour des réceptions de plus en plus extravagantes. Elle avait un certain talent pour la peinture mais elle n'avait jamais travaillé sérieusement. Elle se mit tout à coup à peindre avec une intensité fébrile. Une autre façon de s'échapper, je suppose. Ou bien avait-elle ainsi l'impression d'appartenir davantage à la clique qu'elle aimait?

– Elle s'exprimait ainsi?

– Je pense que oui. Et, encore une fois, je réagis sans tact. Je savais qu'elle se dupait elle-même; elle n'avait pas cette obstination puissante qui lui aurait permis de trouver une voie. Elle jouait à l'artiste comme elle avait joué à la maîtresse de maison. Ses nouveaux parasites se prétendaient impressionnés par son talent mais je voyais bien qu'ils se moquaient d'elle, au fond; ils la faisaient marcher. J'en fus vexé et le montrai. Sibylle pensait que j'étais jaloux... que je lui en voulais de dépenser son argent pour ceux qu'elle nommait ses amis. Ce furent de nouvelles scènes et mon travail s'en ressentit.

Je m'imaginai parfaitement la situation. Mon cœur avait mal pour lui. Mais j'éprouvai aussi une certaine sympathie pour sa femme. Je ne connaissais que trop cette sensation désespérante d'inadéquation. Sibylle aurait été encore plus perturbée si elle s'était retrouvée dans l'entourage de tante Clara, après avoir été tellement choyée. Sans doute fut-elle trop profondément blessée et trop entêtée pour faire l'effort de s'adapter à cette communauté scolaire qui vivait pour ainsi dire en circuit fermé. Au lieu de cela, elle aura choisi la fuite, sans se soucier de savoir si son jeune et ambitieux mari en serait affecté.

Seul un amour profond et durable aurait pu sauver leur mariage et, de toute évidence, ce n'est pas ce qu'éprouvait Sibylle pour Jonathan. Et lui?

Apparemment, il n'avait pas aimé Sibylle assez fortement pour comprendre et accepter ses défauts. Elle avait été « une folie de jeunesse », un rêve qui s'était terminé en cauchemar.

Jonathan reprit la parole après quelques instants de silence :

– Même après des années, j'ai de la peine à être objectif. Il y eut beaucoup de cancans sur nous... le directeur m'en parla sans ambages. En fait, il me déclara sèchement que si j'étais incapable d'avoir de l'influence sur ma femme, il me faudrait chercher un autre poste. J'aurais bien voulu le prendre au mot, mais un échec a tôt fait de vous ronger le cœur quand on est jeune et égoïste.

– J'ai peine à croire que tu aies pu être égoïste!

– Et pourtant, je l'étais. Et je l'ai payé cher! J'ai obligé Sibylle à attendre la fin du trimestre scolaire, c'est-à-dire la fête organisée pour les enfants, leurs parents et le personnel, juste avant Noël. J'aurais pu prévoir qu'elle regimberait. Elle se conduisit d'une manière outrageante; c'était une sorte d'autodéfense, je m'en rendis compte plus tard. Elle but beaucoup trop et débita à la femme du directeur tout ce qu'elle pensait de la marche de l'école...

– Ce dut être affreux!

– Pis que cela. Bien pis. Sibylle sortit en trombe

du hall et moi, au lieu de la suivre, je restai pour tenter de l'excuser. Je ne me le pardonne pas. Je savais qu'elle n'était pas en état de conduire.

– Ce fut l'accident?

– Un accident mortel. La nuit était glaciale, les routes étaient glissantes. Elle aurait pu rentrer saine et sauve à la maison mais, au lieu d'y aller directement, elle prit la direction de Londres. Je suppose qu'elle conduisait sa voiture de sport comme elle avait coutume de le faire, à une vitesse insensée. Elle a dérapé et a heurté un mur de pierre. Elle a été tué sur le coup. Mais il y avait un homme avec elle. Un collègue avec lequel elle avait une aventure mouvementée; marié et deux enfants.

– C'est horrible!

– Ma faute. J'aurais dû aller avec elle. Elle était ma femme... ma responsabilité... pas celle de ce pauvre type. Sa femme s'était aperçue de sa toquade et moi, je n'avais rien deviné. J'étais un jeune fou aveugle et égoïste... et le résultat: deux morts.

– Mais non! Non, Jonathan! Ce n'est pas juste. Tu n'as pas à te blâmer. Tu as vécu l'enfer, c'est suffisant; n'y ajoute pas le remords.

– C'était bien l'enfer, en effet. Je suis désolé, Flora. Je t'ai causé un vilain choc. Tu voulais savoir... mais je n'aurais pas dû te dire.

– Je suis heureuse que tu l'aies fait. Je savais bien que tu avais été blessé. Je me serais toujours demandé...

– Je n'ai plus mal, maintenant. Après tout, tu avais le droit de savoir... de savoir quelle sorte d'homme je suis... ou fus.

– Tu étais, dis-je fermement. Tu n'agirais plus ainsi à présent.

– Je voudrais le croire mais un homme pareil peut-il se transformer radicalement? La jalousie est un démon aux racines profondes. Et aussi cette tendance à se laisser complètement absorber par son travail.

— Ce n'est pas un vice que s'occuper de son travail... et tu n'auras jamais l'occasion d'être jaloux en ce qui me concerne.

— Jamais? On ne peut prévoir l'avenir. Si, quand j'ai épousé Sibylle, on m'avait dit que ma première réaction, une fois le choc passé, serait un soulagement honteux, je ne l'aurais jamais cru. Dieu sait que je n'ai jamais souhaité sa mort, mais la chaîne était devenue insupportable! J'étais comme pris au piège.

— Oui, bien sûr, je comprends.

— Tu es très douce, Flora, mais... non. Tu ne pourras jamais comprendre tout à fait. Il n'y a pas en toi cette vanité qui pousse à vouloir toujours être un sujet brillant. Je crois que tu es capable de te sacrifier pour quelqu'un que tu aimes. Tu ne sacrifierais pas qui que ce soit à ton ambition. Je me suis souvent demandé si j'aurais épousé Sibylle si elle n'avait pas été la fille du directeur. Si elle n'avait pas été belle et aussi recherchée. N'avais-je pas pensé qu'elle était une sorte de médaille que l'on arbore fièrement? L'avais-je considérée comme un être humain? M'étais-je seulement posé la question de savoir si j'étais apte à lui donner ce qu'elle attendait de la vie?

— A quoi bon te torturer ainsi! Tu as cru que tu l'aimais. Comment aurais-tu pu lui résister? Dans un certain sens, c'est à l'épouse de s'adapter à son mari et à son mode de vie.

— Voilà un point de vue singulièrement démodé de nos jours, alors que la plupart des filles se piquent d'indépendance et de leur aptitude à exercer des métiers d'hommes.

— C'est donc que je suis démodée. Ou tout simplement, je n'ai aucun talent particulier. Mon seul désir est d'être aimée et d'être utile à quelqu'un.

– Tu l'es sans conteste. Réchauffée, maintenant? Prends une autre tasse de café pendant que je change les draps et place une bouillotte dans le lit.

– Laisse-moi t'aider...

– Non. Reste près du feu.

Il était sorti avant que j'aie pu ajouter un mot. Mon premier mouvement fut de le suivre mais je me retins. Je sentis qu'il préférait être seul. Il avait sans doute besoin de retrouver son équilibre, de bannir le passé en le remettant sous clé.

Cela lui avait été pénible de parler de Sibylle. C'était évident. Leur vie commune orageuse et sa mort dramatique avaient laissé en lui une trace indélébile. Il m'avait bien assuré que ces souvenirs « ne faisaient plus mal maintenant », mais je n'en étais pas persuadée. Certes, il est des blessures que le temps guérit mais malgré tout, n'étaient-elles pas parfois douloureuses?

La mort de Sibylle fut probablement pour lui une cause de remords amers; elle lui laissa aussi un sentiment d'échec qui le ronge encore, le faisant douter de lui-même et de son jugement. Ayant déjà commis une erreur aussi désastreuse, la crainte de se tromper de nouveau doit le hanter. Est-ce la raison pour laquelle il abandonna la profession qu'il avait choisie, pour se terrer ensuite n'importe où? Non. C'était impossible. La police n'avait-elle pas dit que Jonathan était à Hunter Tor depuis environ quatre ans? Ce qui laisse un laps de temps d'une dizaine d'années entre la disparition de Sibylle et son arrivée ici. Que se passa-t-il pendant ce temps? Est-il resté en poste dans son école? Ou en a-t-il trouvé un autre ailleurs? Il ne me l'avait pas précisé... et je savais que je ne pouvais pas le lui demander. Au moins pas ce soir.

Il avait descellé un chapitre et m'en avait révélé le contenu, à contrecœur, mais il avait décidé que j'avais le droit de le lire. S'il y avait d'autres chapitres de ce genre dans sa vie, il les ouvrirait lui-même, au moment où il le jugerait bon. Je n'avais pas à fouiller.

Je bus lentement ma seconde tasse de café, m'efforçant de trouver la conduite à tenir d'après ce que je venais d'apprendre. Ce n'était pas facile. Ces révélations m'avaient laissé meurtrie et bouleversée. L'image de Jonathan qui en avait surgi était si différente de celle que je m'étais faite en moi-même.

Je n'avais pas connu cet autre Jonathan... Ce jeune instituteur férocement ambitieux, au tempérament fougueux et intolérant. Mon Jonathan était essentiellement calme et maître de soi, doux et modeste, il quémandait l'amour, mais il hésitait à tendre la main pour le saisir. Comment concilier les deux portraits? Comme il l'avait dit, on ne se transforme pas radicalement; et pourtant, je ne concevais pas qu'il pût jamais m'imposer des scènes violentes.

Sans doute y avait-il incompatibilité d'humeur complète entre lui et Sibylle; et la malchance voulut que ce fût ce qu'il y avait de pire en chacun d'eux qui apparût en pleine lumière. Elle était belle, adulée, capricieuse, imprévisible et instable, mais elle avait aussi du charme, elle était séduisante, au moins pour les hommes. Pourquoi avait-elle tenu à épouser Jonathan? Pourquoi est-ce lui qu'elle avait choisi parmi ses admirateurs? Peut-être à cause de ces qualités qu'il possédait et qui lui faisaient défaut à elle, elle le savait; ces qualités qui avaient précisément provoqué les heurts violents entre ces deux êtres. Malgré tous ses avantages, Sibylle avait dû ressentir au plus profond d'elle-même une certaine insécurité et elle cherchait auprès de Jonathan la certitude d'être aimée et protégée.

Quand elle s'aperçut que Jonathan avait failli, elle tenta de trouver ailleurs ce dont elle avait besoin. A-t-elle réussi? Agitée, insatisfaite, secrètement angoissée peut-être – ayant peur d'elle-même et de l'avenir – elle se rabattit sur cet autre instituteur, sans s'inquiéter du fait qu'il était déjà marié et père de famille. Est-ce l'angoisse et le désespoir qui lui ôtèrent tout scrupule? Quand elle s'est enfuie dans la nuit avec son amant, après cette ultime scène désastreuse, avait-elle l'intention de divorcer? Avait-elle imaginé que ce divorce avait toute chance de ruiner la carrière des deux hommes? S'en était-elle souciée? Son amant s'en est-il soucié? L'avait-elle convaincu qu'elle et sa fortune compenseraient tout? Et lui, épris comme il devait l'être, s'était-il laissé faire?

Comme si l'argent pouvait compenser autre chose! Pas pour quelqu'un qui avait un cœur, en tout cas. Qu'est-il advenu de la fortune de Sibylle? Je pris soudain conscience de la douceur du canapé où j'étais allongée, des tasses de café en porcelaine de Derby, de la moquette épaisse et des très beaux rideaux. Je ne pus m'empêcher de frissonner.

Je devais avouer que, jusqu'à un certain point, tante Clara avait vu juste, et j'en étais agacée. Il avait été marié. Bon. Cela, je pouvais l'accepter. C'était d'ailleurs presque inévitable, à son âge, qu'il y ait eu d'autres femmes dans sa vie. Inutile de ruminer ce mariage malheureux. Il avait pris fin des années plus tôt, et Jonathan m'assurait qu'il n'éprouvait plus de douleur.

Sibylle avait été un « rêve de jeunesse », me répétai-je désespérément. Elle avait détruit les sentiments de son mari bien avant de se détruire elle-même. A quoi me servirait d'être jalouse d'un fantôme ou d'en vouloir à une ombre?

Mais c'était autre chose en ce qui concernait la fortune de Sibylle. La pensée m'en était très désagréable. Désormais, je ne boirais plus dans les tasses de Sibylle.

Je n'entendis pas Jonathan qui s'approchait, derrière moi. Il posa la main sur mon épaule et je sursautai violemment. Ai-je eu un mouvement de recul involontaire?

– Prête? (Puis il me demanda d'un ton abrupt :) Changé d'avis? Trop tard maintenant. La neige tombe.

– Je suis désolée. Je veux dire, non. Il y a longtemps que c'est trop tard... depuis ce premier après-midi, quand tu as pris ma main... Seulement...

J'étais confuse. Ma voix traînait piteusement. Je n'osai le regarder en face; j'étais incapable d'affronter son regard inquisiteur.

– Oui, pour moi aussi. Je le savais alors... mais le temps est passé où je croyais aux contes de fées. J'avais à peine espéré te revoir.

– Conte de fées? Tante Clara m'a reproché de vivre dans un conte de fées...

– *La Belle et la Bête*? Le prince charmant sous la crinière hirsute? Et maintenant, tu es déçue? Pauvre enfant! Je suis désolé.

– Je ne suis pas une petite fille et tu n'as pas à être désolé.

– J'aurais pu jouer avec toi. Mais je n'ai rien d'un comédien et il m'a semblé plus sage et plus élégant d'être honnête envers toi. Je ne peux pas biffer d'un trait le passé, malheureusement, mais je peux essayer de faire en sorte qu'il ne te blesse pas. Je crois tout de même avoir appris quelque chose de tout cela.

– Oui, naturellement. Ce n'est pas cela...

– Quoi alors?

– Qu'est devenue la fortune de Sibylle?

Ma question était partie comme un jet. Mon cœur

battait à grands coups dans ma poitrine. Jonathan resta silencieux pendant un long moment. L'avais-je offensé ou mis en colère? Il répondit enfin:

– J'en ai hérité. A notre mariage, nous avions fait chacun un testament en faveur de l'autre. Sibylle avait certes dépensé sans compter, mais même après avoir payé les droits de succession, il restait une somme assez rondelette. J'ai constitué une rente à ces deux enfants auxquels on avait pris le père. Je ne vis pas de l'argent de Sibylle et je n'attends pas cela de toi, non plus, si c'est à cela que tu penses.

Il parlait d'un ton calme et uni, mais j'y décelai une trace de ce que je pensais être de la colère. Je me contentai de répondre:

– Je me posais simplement la question. Ces tasses...?

– Faisaient partie des cadeaux de mariage de Sibylle. Aurais-je dû m'en débarrasser? Je n'ai jamais réfléchi qu'elles pouvaient avoir une valeur quelconque. J'ai conservé quelques objets qui lui avaient appartenu. A tort ou à raison, j'ai pensé que ce serait par trop cruel de faire table rase de tout ce qu'elle avait aimé, de me comporter comme si elle n'avait jamais existé dans ma vie. Nous avons eu quelques heures de bonheur ensemble.

– Oui, naturellement.

– Tu peux les jeter à la poubelle si tu veux.

– Oh, non! Je n'ai pas voulu dire que je ne supportais pas d'utiliser quelque chose qui lui avait appartenu. Non. Seulement...

– Qu'est-ce que ta tante a bien pu te mettre dans la tête? Que je n'avais d'intérêt que pour ton capital? N'aie pas peur de me choquer. Elle m'a déjà accusé de vouloir t'annexer, toi et ta fortune. Ce soir même, au téléphone. Ne prends pas cet air aussi désemparé. Ou bien c'est elle que tu crois ou bien c'est moi, quand je te dis que je ne soupçonnais même pas que tu avais de l'argent. C'est aussi simple que cela.

– Je te crois, bien sûr. Comment aurais-tu été au courant? Je n'en ai jamais parlé à personne. Ce maudit argent n'a fait qu'empoisonner mon existence; sans lui, j'aurais été indépendante depuis longtemps, au lieu de demeurer avec ma tante. De toute façon, si je me marie sans le consentement de mes curateurs, je n'aurai pas le droit de toucher au capital d'ici mes vingt-cinq ans.

– Vraiment? Eh bien alors, n'y pensons plus. Et maintenant, au lit, mon amour.

Le ton était ferme, et j'y perçus une note autoritaire. Je me levai sans protester. « Un professeur reste un professeur », disait Alison en faisant la grimace à propos de l'un de ses admirateurs les plus assidus : « Saute, mon garçon. Vas-y! Pas pour moi, merci! »

La classe était terminée pour le moment. Il y avait de cela dans la voix de Jonathan. Il m'avait fait un compte rendu de son mariage, il m'avait accordé quelques minutes pour l'interroger et maintenant la leçon était finie et je doutai fort qu'elle fût jamais répétée.

J'étais congédiée avant d'avoir pu poser toutes mes questions. Pourrai-je le faire un jour? Non. A moins que ce ne soit lui qui en décide ainsi, constatai-je à regret; ne venait-il pas de me faire comprendre qu'il avait dit tout ce qu'il avait l'intention de dévoiler au sujet de Sibylle?

7

A ma grande surprise, je m'endormis presque immédiatement, d'un sommeil profond et sans rêves. Je m'éveillai dans un monde blanc; un monde étincelant et virginal, enchanteur comme un conte de fées. Je sautai du lit et, les pieds nus sur le tapis épais, j'allai à la fenêtre. Je l'ouvris toute grande, et me penchai, aspirant l'air rude et glacial. J'en fus toute haletante, mais curieusement revivifiée.

« Si vous vous trouviez immobilisée par la neige ici, avec moi? » m'avait demandé un jour Jonathan; je n'avais su dire alors ce que j'éprouverais.

Maintenant, je savais. Je me sentis légère, soulagée, comme si le destin avait pris pour moi une décision capitale. Inutile de me débattre; étant donné les routes enneigées, il ne fallait pas songer retourner à l'hôtel. J'étais obligée de rester ici. La neige persisterait peut-être plusieurs jours et, selon le point de vue conventionnel de ma tante, je serais entièrement et définitivement compromise. Elle ne croirait jamais que j'avais dormi seule dans le lit de Jonathan.

– Que fais-tu là? Veux-tu t'enrhumer? As-tu perdu la tête?

C'était bien le ton du professeur, pas de doute. Je me retournai lentement. Jonathan posait un plateau à thé sur la table de chevet. Il prit la robe de chambre en chaud lainage posée au pied du lit et vint m'en envelopper les épaules; son geste trahissait l'exaspération plutôt que la tendresse.

– La plupart des gens possèdent un instinct de conservation puissant. Il semble que tu échappes à la règle. Tu portes bien ton nom!

– Je ne suis pas de ton avis. Vois donc comme certaines fleurs surgissent sur les terres incultes et parmi les ruines. Les épilobes, par exemple. Je ne suis pas une fleur de serre chaude. J'aime le froid. J'aime le gel et la neige. Mais pas le vent d'est violent.

– Nous sommes abrités du vent d'est, ici. Cette vallée est surtout soumise au dur régime du vent d'ouest. Reste bien douillettement au chaud et prends un peu de thé, mon épilobe. Ensuite, tu pourras t'habiller et faire chauffer le petit déjeuner, j'irai voir le troupeau pendant ce temps-là.

— Les moutons doivent être enfouis sous toute cette neige.

— C'est possible pour quelques agneaux nouveau-nés mais ce n'est pas grave. L'année est trop avancée pour que nous ayons encore du blizzard.

Il m'avait ramenée vers le lit tout en parlant. Il versa le thé et me tendit une grande tasse en terre jaune. Lui-même s'assit au pied du lit avec sa tasse.

— En train de réfléchir que les routes de la lande vont être impraticables? Aujourd'hui, c'est certain. Mais demain, à en croire la météorologie, il va pleuvoir. Il faudra bien que tu affrontes ta tante.

— Non!

— Hier soir, tu as parlé d'elle avec emportement, mais... as-tu vraiment aussi peur? Bizarre. Tu n'as pourtant pas l'air d'avoir peur de moi. Tu la connais depuis toujours, ou presque, tandis que je ne suis qu'un étranger.

— Elle me hait depuis que je vis sous son toit. J'ai essayé de ne pas m'en apercevoir, mais je l'ai vu hier dans ses yeux. Et... maintenant, elle sait que je sais.

— A ta place, je ne m'en inquiéterais pas. Elle a suffisamment de savoir-faire pour colmater la lézarde. Il faudra bien que tu rentres chez toi un jour pour emballer tes affaires et voir tes curateurs. Tu devrais passer un coup de fil à ta tante quand tu seras prête. Sinon, elle est capable d'envoyer la police à ta recherche. Elle m'a déjà accusé de t'avoir enlevée!

— C'est absurde! Je suis venue de mon plein gré.

— Ta cousine aussi!

– Oh! Je souhaite savoir ce qui est arrivé à Alison.

– Moi aussi.

Il y eut soudain un silence entre nous, comme si l'évocation d'Alison avait fait apparaître au-dessus de nous une ombre menaçante. Quel fut le motif de sa visite à Hunter Tor? Jonathan ne m'avait pas donné d'explications claires. Non. Il ne pouvait pas y avoir un rapport entre l'interview et la mort tragique de Sibylle. Un jeune professeur ne présentait aucun intérêt pour Alison ni pour son public. L'accident mortel de Sibylle n'aurait excité personne, sauf les gens qui l'avaient connue. Les accidentés de la route sont légion. J'étais mal à l'aise. Je risquai enfin:

– Je n'arrive pas à comprendre ce qui a amené Alison ici.

– Je te l'ai dit. Elle s'est trompée... elle m'a confondu avec un autre type.

Tante Clara avait déclaré qu'Alison ne se trompait pas et j'avais protesté qu'Alison n'était pas infaillible.

– Comment cela a-t-il pu être possible? Qui avait-elle en tête? Quelqu'un qui portait le même nom?

– Assez ressemblant en tout cas pour permettre une erreur. Quelque célébrité d'autrefois. Une ex-étoile de la pop-musique, peut-être.

– Ah? Il doit y en avoir une foule.

– Je n'en sais rien. Je ne suis pas journaliste.

Encore une fois, je décelai cette note autoritaire. Il reposa sa tasse vide sur le plateau et se leva.

– Reste au chaud. A plus tard.

Et il sortit. Il devait être un bon maître, pensai-je; il possède une autorité incontestable et tante Clara l'avait bien noté dès la première rencontre. Elle avait appelé cela un air d'intellectuel; elle avait remarqué instantanément que c'était plutôt inattendu chez un fermier de la lande.

Pourquoi avait-il abandonné sa profession? Il est vrai que le comportement de Sibylle et le scandale provoqué par son affaire – ou ses affaires – de cœur ont dû donner un sévère coup de frein à la carrière de Jonathan; mais, après la mort de Sibylle, il aurait pu faire taire les bavardages. Fut-il trop fier et trop susceptible pour essayer? Il avait parlé avec dépit de ce penchant à la fuite qui animait Sibylle. J'avais peine à croire qu'il ait pu rompre et partir.

Par ailleurs, s'il n'avait exercé qu'un an ou deux, ce ton professoral ne l'aurait pas imprégné de la sorte. Il était jeune et manquait de confiance en soi durant cette brève période agitée où il avait vécu avec Sibylle. C'est plus tard qu'il dut gagner en assurance et en autorité. Je le vois très bien se plongeant dans son travail, s'y consacrant tout entier, après la mort de sa femme, espérant effacer le passé. Voilà qui lui aurait ressemblé. Il y a eu quelque chose plus tard; un événement encore plus dévastateur. Quoi? Quel fait pouvait ruiner la carrière d'un homme, sans espoir de rémission? Je recensai une bonne douzaine de causes, mais aucune ne me parut convenir d'après ce que je savais de Jonathan. Il avait été durement frappé – et pas seulement par Sibylle – mais je refusai obstinément de croire qu'il eût commis un crime. Peut-être avait-il été victime de circonstances particulières, mais sa conscience était nette. Il était venu ici pour soigner ses blessures et non pour se soustraire à la justice. Je bus une autre tasse de thé chaud. Je m'adjurai d'en finir avec mes spéculations. Je n'avais jamais pensé que la curiosité pût être l'un de mes défauts. Et dire que j'avais déploré les « expéditions archéologiques » d'Alison! Laisser en repos ce qui était enseveli. Jonathan avait claqué la porte sur le passé. Qu'elle reste fermée.

Le soleil étincelait sur la neige. J'espérais qu'elle ne fondrait pas trop vite. Une fois que les routes seraient dégagées, tante Clara n'hésiterait pas à louer une voiture pour venir me chercher. Elle ne pouvait pas me contraindre à retourner avec elle au Vieux Presbytère; mais elle pouvait faire en sorte qu'il me fût difficile de refuser.

Une femme plus susceptible se serait offensée de ma violente sortie de la veille. Mais tante Clara avait la peau dure quand il s'agissait de ses intérêts. Elle ne me pardonnerait pas, mais elle feindrait de considérer cela comme une « crise de nerfs ». C'était conforme à la ligne qu'elle s'était tracée.

A contrecœur, je suivis la suggestion de Jonathan. Après avoir fait ma toilette et m'être habillée, j'appelai tante Clara. Je ne voulais pas lui donner prétexte à s'adresser à la police. Pour une raison que je ne comprenais pas, Jonathan était allergique à la police. Il n'apprécierait certainement pas une autre visite du très consciencieux sergent Holsworthy.

Comme je l'avais prévu, tante Clara ne se départit pas de son aplomb.

— Tu t'es conduite comme une idiote, Flora, et tu m'en as donné, du souci! C'est de la folie que d'aller seule en voiture sur ces routes verglacées! Tu aurais pu avoir un accident.

— Et même un accident mortel? Mais... non.

— Et puis te précipiter ainsi dans la maison de ce personnage velu et peu recommandable, de cette manière aussi éhontée...

— J'ai souillé ma réputation sans tache jusqu'à présent! Nous ne sommes plus au XVIIIe siècle. De nos jours, il est normal que de futurs époux partent ensemble en vacances. Une jeune fille peut vivre sous le même toit qu'un homme sans pour autant coucher avec lui. De toute façon, je suis bloquée jusqu'au dégel.

– Au moins, tu auras l'occasion de poursuivre nos recherches. A condition de garder les yeux ouverts, tu peux tomber sur un indice susceptible de nous mener à l'ancienne identité de notre homme. Ce n'est pas un criminel professionnel. Ses essais de déguisement trahissent le pauvre amateur.

Ma tante parlait très calmement. Je protestai avec vigueur :

– Ce n'est pas un criminel. Et même s'il était un meurtrier, je l'épouserais... Laisse-le donc tranquille, veux-tu? Tu ne m'empêcheras pas...

– Si seulement je pouvais être assurée de ses bonnes intentions à ton égard, je n'essaierais même pas. Il y a plusieurs années de cela, le Dr Bowden-Sawyer me disait qu'un bon mariage pourrait seul apporter une solution à tes problèmes affectifs.

J'eus l'impression de recevoir un coup entre les côtes.

– Mes problèmes affectifs? Que veux-tu dire?

– Ma chère enfant, ta jalousie puérile et irraisonnée envers Alison t'a gravement handicapée, voire retardée. Ton caractère s'en est trouvé perturbé; tu es devenue anormalement renfermée, secrète et, pour ainsi dire, névrosée. En vérité, tes curateurs et moi avions déjà envisagé l'éventualité d'un traitement psychiatrique, mais le Dr Bowden-Sawyer y était opposé. « Donnez-lui l'occasion de tomber amoureuse et la nature fera le reste », avait-il dit. Il ne pouvait pas prévoir que ce serait justement un homme anormal qui t'attirerait.

– Cela n'a pas de sens. Ce sont des balivernes.

– Vraiment? Interroge-toi. Ton attitude envers les jeunes gens est-elle normale pour une jeune fille de ton âge? N'as-tu pas constamment dédaigné leurs attentions sans raison valable?

– Non. Le plus souvent, c'étaient eux qui me battaient froid... dès qu'ils rencontraient Alison...

– Pure imagination, inspirée par cette jalousie

ridicule. Pourquoi es-tu allée te jeter à la tête de celui-ci? Parce que, dans ton for intérieur, tu sens son animosité envers Alison... tu pressens qu'il représente une menace en puissance, sinon actuelle, pour elle. C'est ce qui te donne cette impression – fausse – de sécurité. Je ne puis que t'adjurer d'être prudente et de rester vigilante; que ton préjugé favorable ne t'aveugle pas.

« Du poison! » pensai-je en reposant le récepteur avec une violence inutile. Adroitement administré, son venin mortel. Je ne suis pas une névrosée. Je ne suis pas une caractérielle, ni une anormale, ni rien d'autre. Et Jonathan non plus. Comment a-t-elle pu oser discuter ainsi avec mes curateurs? Comme si j'étais un cas pour des psychiatres!...

La colère grondait en moi... J'étais comme une bouilloire trop pleine sur le feu. Pourtant, derrière la colère, il y avait de l'angoisse. Pour Jonathan autant que pour moi. Etait-il sur le point de commettre encore une fois la même erreur? Etais-je névrosée et instable comme Sibylle? J'aurais voulu croire que tante Clara essayait simplement de me faire peur... mais j'étais bien forcée d'admettre qu'il y avait quelques grains de vérité dans son raisonnement...

J'avais préparé les toasts et le café et fait frire quelques tranches de bacon quand Jonathan revint; il apportait un agneau enveloppé dans un sac, il semblait mort. Il ôta ses bottes en caoutchouc recouvertes de neige durcie, puis il s'approcha de la cuisinière.

– Voilà quelque chose qui sent bon.

– C'est prêt tout de suite. Oh! le pauvre! Est-il mort?

– Non, mais il a très froid et il est engourdi. L'un des jumeaux.

Il posa doucement la bête devant la cuisinière. Le

chien avait suivi, il s'assit à côté de l'agnelet et se mit à le lécher.

Jonathan versa un peu de lait dans une casserole, y ajouta du sucre et un filet d'eau-de-vie. Il était à côté de moi, réchauffant le breuvage, en vérifiant la température du bout d'un doigt. Quand ce fut assez chaud, il en versa le contenu dans l'un des biberons rangés sur le rebord de la fenêtre, avec les tétines. Jonathan était solide et fort, mais il était aussi doux de nature, pensai-je tandis qu'il se baissait pour soulever le petit corps mou et boueux; il glissa la tétine entre les lèvres serrées. Il veillerait sur moi comme il veille sur ses moutons. Avec lui, à l'abri de ses bras, j'aurais cette sécurité qui m'avait toujours fait défaut.

Sibylle avait-elle eu aussi cette idée? Avait-elle décelé en lui cet instinct protecteur du berger? Alors... pourquoi n'avait-elle pas été heureuse? Parce qu'elle lui en voulait de se partager entre elle et ses élèves? En viendrais-je aussi un jour à prendre en mauvaise part les heures qu'il passerait sur la lande avec ses moutons? Pouvait-on être jalouse d'un troupeau de moutons?

— Il revient à lui. Il tète, dit-il, comme pour m'inviter à le rejoindre. Je pense que ça va aller...

— Ah! Tant mieux! répliquai-je, me détournant aussitôt pour casser les œufs dans la poêle.

Mes mains tremblaient. Les paroles de ma tante m'avaient secouée... mais Jonathan ne s'aperçut pas de mon agitation. Toute son attention était concentrée sur l'agnelet.

Il enveloppa la petite bête, rinça le biberon, puis essuya le chien avec une grosse serviette.

« C'est cela, être femme de fermier. Les animaux d'abord. C'est d'ailleurs tout naturel... Je m'y habituerai », pensai-je avec un serrement de cœur.

— Cette double naissance cette nuit, la seule, observa Jonathan. La période d'agnelage est presque terminée, maintenant. Elle est un peu plus tardive sur la lande, c'est normal.

– Que fais-tu ensuite? En été, par exemple?

– Il y a toujours beaucoup à faire. Les moutons à tondre... les cultures. Les céréales, le foin, les racines. J'ai de nombreuses terres arables et seulement un ouvrier agricole à plein temps. Je m'arrange pour prendre quelques journaliers au moment des foins et des moissons. Et puis, il y a le jardin. Tu n'as pas encore vu mon jardin. Il n'y a guère à voir en cette époque de l'année... Je cultive surtout des roses et des légumes. Quelques fruits aussi.

Il était retourné à l'évier pour se laver les mains.

– Ainsi, tu es toujours occupé?

– Bien sûr. Et toi aussi, tu le seras. J'ai un congélateur assez grand. Il est toujours plein de fruits, de légumes et de viande d'agneau préparés ici. Et aussi de plats surgelés que j'achète en gros. Grâce au congélateur, je gagne du temps et de l'argent. Je n'ai pas besoin d'aller trop souvent en ville pour les achats.

Sans un mot, je mis le bacon et les œufs sur les assiettes que je disposai sur la table. « Presque comme si nous avions été mariés depuis des années », songeai-je en versant le café.

Il s'assit en face de moi et, pour la première fois depuis son retour, il me regarda vraiment. Instantanément, ses sourcils broussailleux se rapprochèrent.

– Que se passe-t-il, amour? Encore ta tante? T'a-t-elle fait courber l'échine? Pourquoi te laisses-tu démonter ainsi?

– Parce que, comme Alison, elle a le chic pour toucher juste le point faible. Elle me mine. Elle m'a parlé de ma jalousie maladive d'Alison... de fuite, de névrose... et de traitement psychiatrique.

– Si tu y crois, alors, tu croiras n'importe quoi. Oublie tout cela.

– Comment? Si c'était vrai, ce serait atroce pour toi. Je serais un terrible fardeau.

– C'est mon affaire.

– Tu ne me connais pas comme tante Clara. Je veux être franche avec toi. Si je suis une névrosée...

– Comme un chat perdu ou un chien sans maître. Tu as été frustrée sur le plan affectif. C'est tout.

– C'est bien ce que je me suis dit des années durant, mais est-ce vraiment tout? Si je suis jalouse par nature, je pourrais aussi bien l'être de toi..., de la ferme, des animaux.

– Pourquoi? Dès l'instant où ils t'appartiendront aussi! Tu ne seras pas quelqu'un de l'extérieur qui cherche à voir dedans; jamais plus. Tu partageras ma vie. (Tout à coup, à ma surprise, il m'adressa un sourire qui le fit paraître beaucoup plus jeune et il me sermonna :) Oh! mon amour, ne prends pas cet air solennel! Crois-moi, je n'ai jamais entendu parler d'une jeune fille malade de jalousie à cause d'un troupeau de moutons.

– Vu ainsi, c'est ridicule, en effet...

Un grand rire me secoua alors, je me sentis libérée, comme si Jonathan avait réussi à dissiper l'ombre noire que tante Clara avait jetée sur moi. Tout irait bien. Tout serait bien si je restais ici, avec lui, si je l'aimais, et si je savais qu'il m'aime.

8

La neige persista pendant deux jours. Je la bénis de rendre les chemins impraticables, m'enfermant dans ce qui me semblait être un autre monde... avec

Jonathan. J'étais heureuse comme je ne l'avais pas été depuis des années, je faisais la cuisine, le ménage et je l'aidais à nourrir les agneaux.

Mes pantoufles ne me permettaient pas de patauger dans la neige avec lui mais nous trouvâmes enfin une paire de bottes fourrées en daim que je pouvais porter, bien que trop grandes de trois pointures. Jonathan put alors m'emmener avec lui sur le tracteur pour aller distribuer le foin et les racines aux brebis. Juchée au sommet d'une meule de paille, le tracteur roulant sur la neige craquante, j'éprouvai un bien-être merveilleux. Ce paysage de lande, qui semblait morne, désolé et désert dans la pluie et le vent, avait l'air tout à fait différent sous ce manteau de neige. Les contours rugueux étaient adoucis, l'atmosphère était enivrante. Le deuxième jour, après le déjeuner, Jonathan m'entraîna dans le jardin clos de murs, derrière la maison. Lors de mes visites antérieures, j'avais vaguement remarqué les hauts murs de pierre mais je n'avais pas eu l'occasion d'y songer davantage. A une extrémité, un carré assez grand était planté de choux de Bruxelles, de choux verts et de broccolis. Le reste était consacré aux roses.

— Ma passion secrète. Les roses d'autrefois. Je les collectionne.

— Les roses d'autrefois? repris-je, étonnée.

— Surtout des buissons et aussi quelques roses grimpantes, des variétés anciennes : Bourbon, roses moussues..., des roses dont tu n'as même jamais entendu parler, sans doute, dont tu n'as donc jamais vu les fleurs; des roses qui sentent l'idylle et l'histoire... Cardinal de Richelieu... Reine Victoria... Zéphirine Drouhin... La Rose Blanche d'York... Tontine Latour... Nuits de Joung... Omar Khayyam... Pour moi, elles ont un charme que les roses modernes n'ont pas dans leurs couleurs plus vives et éclatantes : elles ont un parfum qui a disparu de notre monde. Tu comprendras ce que je veux dire au mois de juin. Je l'espère, du moins...

Il avait énuméré tous ces noms avec nonchalance, comme s'il aimait à en prononcer les sons. Laissant sa phrase inachevée, il me regardait d'un air interrogateur, presque timide, on eût dit qu'il craignait que son enthousiasme ne me fît rire. Une fois encore, je pris conscience que nous savions très peu de choses l'un de l'autre et, pourtant, notre confiance grandissait.

Pour quelques instants, cette sensation familière d'inadéquation reprit possession de moi. Etais-je certaine de ne pas le décevoir? N'attendait-il pas de moi plus que je ne pouvais donner? Etais-je en quelque sorte vraiment qualifiée pour partager sa vie, comme il me l'avait affirmé? J'étais hésitante.

– Il faudra que tu m'apprennes. Je me souviens avoir déjà vu la Zéphirine Drouhin... la rose sans épines. Ma mère en avait une dans le jardin, quand j'étais petite. Elle aimait les roses.

– La rose sans épines... C'est toi, ma Flora.

Il mit ma main sous son bras et, le pas traînant dans mes bottes trop grandes, je marchai à ses côtés dans les allées pavées couvertes de neige, essayant de me représenter les roses telles qu'il me les décrivait. Pour le moment, elles n'étaient auréolées d'aucun charme, avec leurs tiges nues poudrées de neige. Jonathan semblait éprouver pour elles le même sentiment qu'envers ses brebis. Il s'arrêtait souvent pour ôter doucement la neige des branches qui pliaient sous le poids.

J'étais embarrassée et un peu déconcertée de le voir ainsi absorbé. Il regardait ses roses comme des personnes et non comme de simples massifs; comme s'il aimait chacune d'elles. Je jugeai : le véritable type du berger. De toute évidence, il a besoin de veiller sur quelque chose, qu'il s'agisse d'élèves, de moutons ou de roses. Peut-être un bon professeur doit-il avoir cet instinct du berger... mais pourquoi avait-il abandonné la profession qu'il avait choisie? J'étais encore dans le noir sur ce point.

– Je t'ennuie? demanda-t-il à brûle-pourpoint, s'apercevant sans doute de mon air préoccupé.

– Non, mais... pourquoi les roses? Je veux dire, qu'est-ce donc qui suscite ton intérêt pour elles?

– Il ne faut pas demander « qu'est-ce » mais « qui ». Mon oncle. C'était un spécialiste des roses, il cultivait une roseraie et je travaillais pour lui. Il avait été question que je devienne son associé.

– Mais cela ne s'est pas fait. Pourquoi?

– Il est mort et ses serres ont été vendues. Je n'avais ni la science ni l'expérience nécessaires pour reprendre l'affaire... même s'il ne l'avait pas léguée à son fils.

– Son fils? Ton cousin? (Il se contenta de hocher la tête pour toute réponse. Nous fîmes encore quelques pas en silence. Puis je risquai timidement :) Tu ne m'as jamais parlé de ta famille...

– Je n'ai pas de famille... maintenant. Ma mère est morte quand j'avais à peine vingt ans. Mon père est mort peu après mon mariage avec Sibylle. Il était éleveur de moutons, à la frontière d'Ecosse. Nous n'avons jamais été très proches l'un et l'autre. Je l'ai amèrement déçu. Il n'a jamais compris pourquoi je n'étais pas attiré par son genre de vie. Il pensait que c'était de l'orgueil et que je me considérais comme un être supérieur. A présent, il rirait bien s'il me voyait. Il avait coutume de dire : « La caque sent toujours le hareng », et je suppose qu'il avait son idée là-dessus; ses parents étaient fermiers dans la même région depuis des générations.

– Rien ne t'obligeait à abandonner ta profession pour devenir fermier; pourquoi l'as-tu fait?

– J'en avais assez des gens. J'ai voulu les éviter... trouver un peu de paix et de tranquillité. Je ne pouvais plus « encaisser ».

– Tu as reçu un choc. Mais... les gens oublient... ils oublient les événements comme la mort de Sibylle... ce n'était pas comme si tu en avais été responsable. Je comprends ce qui t'a incité à quitter l'école où tu enseignais à l'époque mais tu aurais pu trouver un poste ailleurs.

– C'est ce que j'ai fait, mais j'étais coincé. J'ai eu des ennuis... avec la femme de mon directeur... une situation ridicule... elle me faisait des avances... Je crois que je suis complètement idiot au sujet des femmes. Je ne vois jamais le signal d'alarme à temps. J'avais décidé de ne plus avoir affaire à elles... et vois où j'en suis maintenant. Tu es arrivée et tu as brisé mes défenses avant que j'aie pu les renforcer.

– On dirait que tu le regrettes.

– C'est que je n'ai pas l'intention de prendre encore des risques. Si j'avais pu deviner que tu étais quelque chose comme une héritière... Mais à quoi bon les « si » ? Il est toujours permis d'espérer que ce sera différent cette fois-ci. Si la loi des moyennes dit vrai, il devrait y avoir un changement; je ne peux pas me tromper éternellement.

Je frissonnai sur cet « éternellement ».

– Eternellement? Pour l'amour du ciel, combien de femmes y a-t-il donc eu dans ta vie? Combien de fois t'es-tu trompé?

– Je n'ai pas marqué le score. Est-ce important? Je ne peux pas effacer le passé. Qui le peut? Le maximum que je puisse faire, c'est de l'enterrer et de repartir. Tu es encore libre. Si tu ne peux pas me prendre comme je suis, il te reste une alternative. (Sa voix était tranchante, autant qu'elle pouvait l'être.)

– Non. Je n'en ai pas. C'est justement cela. Je t'aime. Peu m'importe qui, ou ce que tu es, je t'aime. Mais j'ai besoin de croire que tu m'aimes. J'ai besoin de te faire confiance.

– Alors, où est le problème?

– Tu ne me rends pas précisément les choses faciles. Tout ce mystère et ce secret... pourquoi?

– Parce que je n'ai aucun goût pour les déshabillages émotionnels... pour dénuder les cicatrices et inviter les gens à s'apitoyer. Je t'ai parlé de Sibylle parce que tu avais le droit de savoir que j'avais été marié.

– Ou parce que tu ne pouvais espérer le dissimuler? Il aurait bien fallu que tu mentionnes « veuf » et non « célibataire » sur notre dispense. C'est la seule raison, n'est-ce pas? Ce n'était pas pour me rassurer, mais parce que j'étais susceptible de découvrir cet épisode de ta vie, tôt ou tard.

– Possible. Es-tu plus heureuse – plus rassurée – maintenant que tu es au courant? Sois honnête avec toi-même, Flora! N'aurais-tu pas préféré tout ignorer?

Je ne pus répondre. Je ne trouvai pas de réponse. Je me tournai vers lui, je lui en voulais secrètement. Ma colère s'était épuisée d'elle-même, comme une vague qui vient se briser contre les rochers. Jonathan n'était pas ébranlé; son armure était restée intacte. Il était toujours calme, serein et raisonnable.

Théoriquement, il avait peut-être raison. Examiner les cicatrices à la loupe, savoir quelle en était l'origine et qui en était la cause, voilà qui n'était pas fait pour me rendre plus heureuse ou me donner un sentiment de sécurité. « Pourquoi déterrer les vieux os? Pourquoi ne pas laisser le passé des gens décemment enterré? », avais-je demandé à Alison à plusieurs reprises, instinctivement écœurée par ses « expéditions archéologiques ».

Et à présent, c'est moi qui faisais ce que je réprouvais tant chez ma cousine. Je grattais dans le passé de Jonathan comme un chien têtu qui cherche un os enterré depuis longtemps. Pourquoi n'arrivai-je pas à laisser ce passé en repos? Tante Clara m'avait insidieusement rappelé la femme de Barbe-Bleue. Etait-elle vraiment la représentante typique de toutes les femmes? La curiosité féminine était peut-être davantage qu'une légende populaire.

Ou bien, ce qui serait pire, n'était-ce pas la vulgaire jalousie qui me tourmentait? Jalousie de ces autres vies de Jonathan? Etais-je condamnée à me torturer – et à le torturer – en le forçant à me les révéler? Cela ne pouvait que conduire à l'auto-destruction, compris-je tristement, à l'usure ou à l'anéantissement de ce qu'il ressentait pour moi. Pour le moment, notre amour était neuf et fragile; les racines n'en étaient pas encore assez profondes pour résister à une tension prolongée.

– Tu trembles, ma chérie. Retournons près du feu; nous allons faire du thé et des toasts bien chauds.

Le ton était plus doux. Il me sourit, de ce sourire rare et curieusement séduisant, et je fis un faible signe de la tête, soulagée de voir que la crise était passée, mais me méprisant un peu d'avoir dû rentrer l'épée au fourreau sous sa contrainte.

Plus tard, me reposant devant les grandes flammes crépitantes, je me demandai pourquoi je n'avais pas mieux tenu le terrain. Etait-ce la prudence ou la crainte qui m'avait amenée à désarmer devant son sourire? J'en arrivai à cette conclusion piteuse que c'était la crainte. J'avais peur de ce mystérieux passé; peur de ce qui se cachait derrière la porte fermée. Je l'avais prié d'ouvrir et il avait refusé. Je n'osais pas forcer la serrure. Un jour, peut-être, trouverai-je la clé qui convient. Il se pouvait qu'il l'ouvrît volontairement, quand il serait sûr de moi. Pour le moment, je n'avais qu'à attendre.

Cette nuit-là, je fus réveillée plusieurs fois par le bruit mat de la neige glissant sur le toit et tombant régulièrement goutte à goutte. Le matin, la neige s'était volatilisée. L'appréhension me saisit tandis que je buvais lentement le thé que Jonathan m'avait apporté. Je n'avais plus de prétexte pour rester ici.

Tante Clara m'attendait certainement pour la reconduire au Vieux Presbytère... et comment pourrais-je refuser? Comment allais-je parer à ses inévitables reproches et récriminations?

Je préparai le petit déjeuner, une oreille tendue vers le téléphone; mais il ne sonna qu'à midi. J'espérais déjà que tante Clara ne s'occupait plus de moi et qu'elle avait loué une voiture pour rentrer chez elle. J'aurais pourtant dû savoir qu'elle ne s'avouerait pas vaincue aussi facilement.

Je décrochai le récepteur comme s'il avait contenu une bombe à retardement et ma voix était hésitante :

– Allô?

– Flora? Ah, ma chère, des nouvelles! Enfin, des nouvelles... La voiture d'Alison a été retrouvée.

La voix de tante Clara était hachée. C'était la dernière chose à laquelle je m'attendais. La panique me saisit.

– La voiture d'Alison? Mais... pas Alison?

– Non, pas encore... mais, au moins, c'est une piste. La voiture était échouée sous un monceau de neige, dans les dunes du Hampshire. Un agent de police, bravant le gel, a pu reconnaître la plaque d'immatriculation.

– Les dunes du Hampshire? Comment est-elle arrivée là-bas? demandai-je, poussant malgré moi un soupir de soulagement.

– Il semble que l'actuel propriétaire, un ouvrier agricole, l'ait achetée en toute bonne foi. Il n'a certainement pas réalisé qu'il y avait quelque chose de louche dans cette affaire, on n'en demandait que

250 livres. Il l'a achetée à un homme qu'il a rencontré dans un pub à Southampton.

— A Southampton? Un homme? Pas Alison?

— Pourquoi Alison aurait-elle vendu une voiture presque neuve pour 250 livres? La police est remontée jusqu'au vendeur; il a dit qu'il avait cédé la voiture pour le compte de sa fiancée qui venait de trouver une place de stewardess sur un yacht. Un yacht, répéta tante Clara avec emphase. C'est une possibilité à laquelle nous n'avions pas songé... qu'Alison ait pu être enlevée par le propriétaire d'un yacht privé.

— Ou qu'elle soit partie avec lui de son plein gré.

— Pas sans m'avoir avertie. Flora, nous avons perdu notre temps ici. Partons immédiatement. Nous ferons une halte à Southampton.

— Aujourd'hui? Mais... tante Clara...

— Pas de mais, je te prie! Il faut absolument que nous trouvions de quel yacht il s'agit et la raison qui poussait Alison à s'intéresser au propriétaire. Maintenant que nous savons quoi chercher, nous devrions trouver un indice dans ses papiers. N'es-tu pas soulagée de savoir qu'elle est probablement en vie, même si elle est prisonnière?

— Je suis contente, naturellement, mais...

— Je t'attends pour le déjeuner. Nous partirons immédiatement après. La police aura peut-être localisé l'homme qui a volé et vendu la voiture d'Alison quand nous arriverons à Southampton. Il devrait nous fournir quelques informations valables...

Tante Clara était redevenue elle-même, vive, alerte et décidée. Elle était persuadée que cette longue attente touchait à son terme. J'étais heureuse pour elle, sincèrement; mais le soulagement que j'avais ressenti était mêlé d'appréhension. Bien sûr, je voulais m'assurer qu'Alison était vivante et en bonne santé, mais je ne voulais pas être confrontée avec ma cousine pour le moment.

Ma tante raccrocha sans me donner le temps de protester. Je reposai le récepteur, cherchant à analyser mes propres sentiments, désespérément confus. D'où me venait cette conviction qu'Alison, plus encore que sa mère, représentait une menace pour mon avenir... pour mon avenir avec Jonathan? Certes, dans le passé, Alison m'avait soufflé des soupirants en puissance, délibérément ou inconsciemment; mais ce n'était pas là ce qui était à craindre avec Jonathan. Il n'avait pas dissimulé le déplaisir que lui avait causé sa visite ni sa méfiance quant à ses motifs. Ne l'avait-il pas accusée de chantage?

Il avait insisté sur le fait qu'elle l'avait pris pour « un autre type »; mais, comme tante Clara l'avait fait remarquer, Alison ne commettait pas d'erreurs. Elle avait découvert quelque chose le concernant; quelque chose qu'il était bien décidé à garder secret. Or, Alison n'hésiterait pas à tout révéler à sa mère ou à moi – dès qu'elle connaîtrait mon intention d'épouser Jonathan. « Jalousie pathologique »? Non. Ce n'était pas la jalousie vis-à-vis d'Alison qui me rongeait à présent. C'était la peur; la peur de ce qu'elle avait déterré et la peur de la manière dont elle s'en servirait. Si, autrefois, elle ne songeait qu'à me protéger de sa mère, aujourd'hui, elle se rangerait à son côté. A elles deux, elles feraient pression sur Jonathan aussi bien que sur moi. Pouvaient-elles le contraindre à m'abandonner? Soit en le menaçant, soit en le persuadant que c'était pour mon bien? Et lui, comment résisterait-il?

L'incertitude me tourmentait de nouveau. Jonathan désirait-il vraiment m'épouser? Etait-il sincère? Il m'avait avoué qu'il n'avait pas l'intention « de prendre encore des risques ». Il avait parlé comme si je ne lui laissais pas d'alternative. C'était moi qui avais commencé les manœuvres, n'est-ce pas? Il n'avait pas cherché à me persuader. C'est moi qui l'avais cherché; c'est moi qui m'étais jetée littéralement à sa tête.

Sans me soucier de la boue ni de la neige à moitié fondue, je pataugeai dans la cour. Jonathan était dans la grange haute, ouverte sur un côté, qu'il appelait « l'abri aux moutons »; elle abritait les agnelets et leurs mères. Il était en train de charger la paille sale sur une remorque, avec la fourche. Il avait retroussé les manches de sa chemise et de son chandail jusqu'au coude, et je contemplai les muscles ondulants de ses bras. Physiquement, il était vigoureux, d'une force flexible et nerveuse. Comment était-il psychiquement et affectivement? J'étais tentée de douter. Il avait dit de Sibylle qu'elle était une « fuyarde-née ». N'y avait-il pas aussi en lui quelque chose du fuyard? Il avait fui son premier poste, après la mort de Sibylle; il avait fui les cancans et les inévitables répercussions. Il semblait bien qu'il eût fui aussi la seconde école où il s'était trouvé dans une situation épineuse.

Il s'était réfugié chez son oncle jusqu'à la mort de ce dernier. Et ensuite? Il y avait une lacune quelque part, avant son arrivée ici, quatre ans auparavant. Il y avait eu quelque chose qui l'avait contraint à devenir fermier dans ce coin solitaire.

— Qu'y a-t-il à présent? La maison est en feu? Ou simplement la tante à tes trousses?

— Ma tante. Avec des nouvelles de la voiture d'Alison...

Sans reprendre haleine, je lui racontai comment et où la voiture d'Alison était réapparue et je lui exposai la nouvelle théorie de tante Clara au sujet du yacht.

— Hampshire? Ouf! Quel soulagement! J'ai eu bien peur que notre énergique sergent Holsworthy se présente avec une équipe de braves pour retourner mon jardin fraîchement planté de roses, dans l'espoir de retrouver le corps.

– Oh! Tu n'es pas sérieux?

– Ta tante l'était bien! Si l'inspecteur l'avait écoutée... Dieu merci, il n'a pas perdu la tête. Il a eu assez de bon sens pour se rendre compte que rien n'étayait la théorie de ta tante. Elle va lâcher prise ici et ce sont ceux de Southampton qui se débrouilleront avec elle. Je leur souhaite du plaisir.

– Oui... mais... et moi? Faut-il que j'aille avec tante Clara?

– Elle est très inquiète... je suppose que tu as certaines obligations envers elle, dit-il calmement.

– Elle me déteste... et elle me fait peur. Elle ne voudra pas que je t'épouse, elle fera tout pour m'en empêcher.

– Comment?

Je n'avais aucun espoir de lui faire comprendre ma panique. Si j'insistais, c'est alors qu'il penserait que j'étais névrosée.

– Peut-être souhaites-tu me voir partir? Tu préfères que je ne reste pas ici?

– Pour ta sauvegarde, cela me semble préférable, en effet. Je ne suis qu'un homme. Je ne peux pas te promettre de rester tranquille indéfiniment. En tout cas, il y aura des bavardages dans le village si tu demeures ici, maintenant que la neige est fondue.

– Crois-tu que je m'en soucie?

– Moi, si... pour toi. Sois raisonnable! Il faudra bien que tu rentres un jour chez toi pour faire tes malles et voir tes tuteurs. Autant ne pas attendre: tu reviendras ensuite. Je vais passer chez le pasteur ce soir. J'aurai la dispense de bans très rapidement. Je te passe un coup de fil dès que c'est fait et nous nous marions aussitôt.

– Est-ce une promesse? Ne vas-tu pas changer d'avis?

– Est-il besoin de me le demander? C'est plutôt toi qui pourrais te raviser.

– Oh, non! Jamais. Si je ne reviens pas, ce sera parce que je ne peux pas. Parce que je suis malade ou droguée ou prisonnière. Dans ce cas... tu viendras à mon secours, n'est-ce pas? Promis, Jonathan?

– Je suis un peu vieux pour le rôle du libérateur fougueux mais je tenterai l'aventure, c'est promis.

– Tu te moques de moi. Tu ne connais pas tante Clara. Tu ne t'imagines pas comme elle aime l'argent. S'il m'arrivait quelque chose, elle mettrait le grappin sur le tout.

– Eh bien, pour te tranquilliser, pourquoi ne pas faire un testament en faveur d'une œuvre de charité? Voilà qui te mettrait à l'abri du poison.

– Ce ne serait pas du poison, elle est bien trop avisée pour cela. Une forte dose de somnifère serait davantage dans sa ligne. Tu ne me crois pas, n'est-ce pas? C'est normal. Entre la parole de tante Clara et la mienne, personne ne choisirait la mienne, elle a toujours l'air si sensée et raisonnable.

J'étais désemparée.

– Je sais, je l'ai entendue. Je ne doute pas qu'elle essaiera d'empoisonner ton esprit à mon égard, mais il s'agit là d'une bataille que tu as à livrer toi-même. Elle m'a lié les mains quand elle m'a déclaré que tu étais riche.

– Le voilà bien, ce stupide orgueil masculin.

– Possible.

Plus que possible, pensai-je dans un éclair de lucidité, alors que j'étais en route pour le village, traversant la plaine fangeuse et bourbeuse. C'est certain. De même qu'il est presque certain que ce fut par orgueil blessé et non par manque de courage que tu as choisi de fuir et de te cacher. Oui, c'est l'orgueil qui t'empêchera de me toucher avant que je sois légalement ta femme. Tu n'as pas voulu fournir à tante Clara ni à quiconque le prétexte qui leur aurait permis de t'accuser de rapt par séduction, pour en tirer profit. Tu ne pouvais pas considérer notre aventure de mon point de vue; tu ne pouvais pas sentir que tout ce que je désirais, c'était savoir que je t'appartenais. T'es-tu vraiment imaginé que j'aie été soulagée de te voir dormir sur le sofa? Attendais-tu de moi que j'admire cette manifestation de maîtrise de soi? Comment as-tu pu être aussi bête?

9

Sensée et raisonnable? Oh, oui! Tante Clara le fut certainement lorsqu'elle m'accueillit.

Elle me toisa de son regard froid et méprisant, comptant peut-être déceler un signe manifeste de ma défloration. Puis elle regarda longuement mes pantoufles mouillées et crottées. Un trait bien caractéristique de ma tante.

– Vraiment, Flora, tu te conduis comme une enfant! Sortir en pantoufles par ce temps glacial. Tu pouvais encore attraper une pneumonie, me dit-elle d'un ton exaspéré.

Selon son habitude, elle me rabaissait. Elle ne me reprochait plus de m'être jetée à la tête de « cette brute poilue », ce qui m'aurait donné la force de protester avec vigueur. Non. Rien de cela. Elle mettait simplement l'accent sur un détail stupide et incontestable.

– Va te changer sans perdre de temps et nous déjeunerons ensuite. J'ai réglé les notes. Nous partirons dès que tu auras fait ta valise, conclut-elle, comme si elle avait devant elle un gamin désagréable.

En venant, je m'étais encouragée à affronter ses récriminations. A présent, je me sentais comme dégonflée devant son attitude. L'avait-elle prévu? Etait-ce délibérément qu'elle ne me laissait aucune chance de « me remonter », comme elle disait? Peut-être attendait-elle que nous fussions dans la salle à manger; là, la conscience que j'aurais de la présence de tiers m'empêcherait de me manifester franchement. Il lui était pourtant difficile de feindre d'ignorer mon absence durant ces deux nuits. D'après ses conceptions, je m'étais irrémédiablement compromise en fuyant précipitamment à Hunter Tor. En tant que tutrice et parente la plus proche, elle considérait qu'elle avait le droit de me sermonner. Pourtant, quand nous fûmes assises l'une en face de l'autre à la petite table, ma tante ne parla que de la découverte de la voiture d'Alison. Elle ne fit même pas allusion à Jonathan. Elle était extraordinairement rusée, se servant du silence comme d'une arme; je le constatais avec tristesse. C'était le jeu du chat et de la souris.

– Le véhicule n'a pas été endommagé, sauf une aile froissée du côté où il s'est enfoncé dans la neige pour aller heurter le talus. La police m'a aussi affirmé qu'il n'y avait aucune trace suspecte à l'intérieur.

– Trace suspecte?

– Des traces de sang, par exemple. Les policiers ont examiné la voiture de fond en comble et personne ne peut nier qu'ils font leur travail à la perfection quand ils ont quelque chose de concret sous la main. Nous allons interroger cet ouvrier agricole, pour notre compte, bien sûr; il semble qu'il soit tout à fait sincère, bien que peu brillant.

– Ah?

– Il a passé son permis de conduire tout récemment et il s'est mis aussitôt à la recherche d'une voiture d'occasion. Il aurait dû réfléchir que la Mini était trop bon marché et que c'était sans doute une voiture volée.

– Y a-t-il une preuve? Alison fermait toujours sa voiture quand elle la laissait dans un parking. Elle me recommandait bien de fermer la mienne.

– Peut-être a-t-elle été kidnappée avant d'avoir pu le faire?

– Je ne crois pas qu'Alison ait pu se laisser enlever. Alison n'est pas le type de la victime. Si elle est en croisière quelque part, c'est de son plein gré... probablement pour interviewer le propriétaire du yacht.

– Et il ne l'aurait pas laissé repartir. Oui. Ce pourrait être cela. Je vais presser la police d'examiner tous les yachts qui ont quitté Southampton à cette date.

« Ce ne sera pas une mince affaire », pensai-je; la police, déjà surchargée, n'entreprendra certainement pas ce travail dans le seul but de satisfaire tante Clara. L'inspecteur Aylesbury l'avait souligné dès le départ : il n'était absolument pas évident qu'Alison fût tombée dans un guet-apens. Si la Mini avait été retrouvée dans une carrière désaffectée de Dartmoor, la police aurait pu partager les craintes de tante Clara. En l'état actuel des choses, pourquoi penserait-elle que la disparition d'Alison ne fût pas parfaitement volontaire?

Au début, influencée par le raisonnement de ma tante, j'avais craint le pire. Maintenant, je voyais Alison sous un jour différent. Aussi sincèrement attachée à sa mère qu'elle pût l'être, la sollicitude et les attentions maternelles trop insistantes ne l'avaient-elles pas irritée parfois? Si elle se trouvait en pleine idylle amoureuse – une idylle que sa mère désapprouverait – ne serait-elle pas capable de mettre en scène un enlèvement? Certes, elle faisait preuve de cruauté en laissant sa mère si longtemps dans l'angoisse, mais tante Clara ne favoriserait-elle pas tacitement ce comportement, elle qui n'avait aucune considération pour les sentiments des autres? J'avais craint de dire à tante Clara que j'étais amoureuse de Jonathan. En dépit de son air indépendant et de ses allures décidées, Alison avait peut-être reculé au moment de croiser le fer avec sa mère. Elle aura préféré la mettre devant le fait accompli.

– Il n'y a pas eu de demande de rançon, rappelai-je à tante Clara.

– Bien sûr que non. Il est clair qu'Alison n'est pas retenue prisonnière pour de l'argent mais pour qu'elle se taise, répliqua ma tante avec impatience.

– Si tu présentes cette théorie à la police, cela équivaudra à accuser Alison de chantage.

– Ridicule! C'est son métier de dénicher des faits et de les publier. Personne n'a le droit de museler la presse, déclara tante Clara d'un ton péremptoire.

Je ne me risquai pas à discuter avec elle. Une fois de plus, je me demandais ce qu'Alison avait – ou s'imaginait avoir – déniché au sujet de Jonathan. L'avait-elle vraiment pris pour « un autre type »? Pourquoi avais-je tant de peine à croire Jonathan sur ce point? Probablement parce que, à mes yeux, il ne ressemblait à aucun « autre type » qu'il m'était arrivé de rencontrer jusqu'à présent. Il y avait en lui une distinction bizarre et indéfinissable. De la personnalité. Quelque chose qui le singularisait dans le troupeau.

Sans doute le voyais-je avec les yeux subjectifs de l'amour. Pour tante Clara, il n'était que « cette brute poilue » au passé plein d'ombre. Elle n'avait pas remarqué les traits finement sculptés partiellement dissimulés sous les poils.

« Comme une châtaigne », pensai-je. Rugueux et piquant à l'extérieur, mais satiné, duveteux et doux à l'intérieur de l'enveloppe. Et l'enveloppe s'était ouverte pour moi. Oh, Jonathan, pourquoi m'avoir laissé partir après m'avoir tant donné?

– Cesse de lambiner, enfant! Si tu ne veux pas de cette tarte, laisse-la. Prenons le café ici, pour gagner du temps.

Elle appela le garçon d'un geste impératif; il enleva mon assiette, sans que j'aie vraiment vu ce qu'il y avait dedans. Tante Clara avait-elle saisi la raison de ma distraction? Si oui, elle n'en souffla mot. J'aurais dû lui en être reconnaissante et, pourtant, je constatai avec étonnement que sa retenue m'agaçait plus qu'une réprimande.

Quand nous fûmes sur la route qui nous éloignait de la lande, je devinai enfin le sens tortueux qu'elle donnait à mon retour à l'hôtel.

– Nous avons perdu du temps et de l'argent dans ce triste pays. Si la police avait été vraiment alertée, elle aurait dû retrouver la voiture d'Alison depuis longtemps et nous n'aurions pas eu besoin d'aller à Devon. Je n'ai absolument pas envie de revoir cette morne lande. Ni toi, je suppose.

Je protestai sous la provocation:

– Mais si! Je te l'ai déjà dit. Je vais épouser Jonathan March.

– J'ai peine à le croire. Il faut être deux pour se marier. N'as-tu donc pas chassé de ton esprit cette créature hirsute? Il serait temps. Tu n'entendras pas parler de lui de si tôt.

– Que veux-tu dire? Il est en train de s'occuper de la dispense.

– C'est ce qu'il t'a dit; pour que tu partes en toute quiétude. (Il y avait de la malice dans sa voix et au coin de ses lèvres.) Ne t'abuse pas toi-même, enfant! Il a pris à cœur mon avertissement.

– Quel avertissement?

– Qu'il ne te touche pas ni ne t'encourage dans ton engouement absurde pour lui, sinon j'alerterai tes curateurs et je demanderai une enquête sérieuse sur son passé. Je savais qu'il ne courrait pas ce risque. Il se débarrasserait de toi dès que la neige serait fondue, c'était clair.

Mes mains s'agrippèrent si violemment au volant que mes os firent apparaître une tache blanche sur la peau. Ce fut comme si elle m'avait poignardée. Jonathan avait-il cédé? Etait-ce cela qui l'avait incité à me donner sa chambre et à dormir sur le canapé? Avait-il saisi le coup de téléphone de tante Clara comme prétexte pour me renvoyer?

Non, pensai-je désespérément. Oh, non! Il ne m'aurait pas menti... Il ne m'aurait pas promis de s'occuper de la dispense s'il ne songeait pas à m'épouser.

— Il n'a pas... il n'aurait pas... Tu veux me faire peur, mais tu n'y réussiras pas.

— Il t'a laissé tomber doucement, n'est-ce pas? Il t'a fait rebrousser chemin avec de vagues promesses? Il est permis de supposer qu'il ne pourrait pas affronter tes larmes et tes reproches. Je lui ai dit que tu avais tendance à faire des crises de nerfs. Allons, ressaisis-toi, ma chérie. Regarde où tu vas. Tu dépasses la ligne blanche... et il y en a deux. Je crois que c'est l'amende s'il y a dépassement.

— Condamnée à l'amende? Si je te croyais, tante Clara, j'irais me précipiter tout droit sur le prochain camion que nous croiserions.

— Ne sois pas aussi puérile. De la casse et un séjour à l'hôpital n'ajouteront rien à ton bonheur, dit-elle froidement.

— Cela pourrait ajouter au tien... si j'étais tuée et pas toi. Est-ce cela qui t'a amenée à mettre le sujet sur le tapis? Pour provoquer un accident?

— Il n'y a pas lieu de t'énerver ni de perdre la tête. Je n'avais pas l'intention de t'occasionner un choc. Je pensais tout simplement que l'homme t'avait expliqué clairement sa position. Relâche l'accélérateur maintenant! Vraiment, ton manque de sang-froid est déplorable.

Je me ressaisis. L'humidité rendait la route glissante et la voiture dérapait. Tante Clara avait raison, terminer le voyage à l'hôpital ne me ferait rien gagner. Se pouvait-il qu'elle eût toujours raison? Elle pouvait se tromper sur Jonathan. Oui, elle faisait une erreur. C'était flagrant. Elle ne le connaissait pas. Il n'était pas homme à se laisser intimider par de vagues menaces. C'était l'orgueil la clé de son caractère. Ce fut la fierté qui le retint de me posséder avant notre mariage; ce fut la fierté qui l'empêcha de tirer avantage de ma fuite paniquée vers lui. Il ne voulait pas d'une aventure clandestine, il désirait que je sois sa femme et que je vienne à lui franchement, de ma propre volonté. Si j'étais avec tante Clara en ce moment, ce n'était pas parce que Jonathan m'avait fait « rebrousser chemin »; c'était parce qu'il s'agissait là d'une bataille que j'avais à livrer à moi-même, ainsi qu'il l'avait dit. C'était à moi d'affronter ma tante au lieu de m'aplatir devant elle. C'était à moi de parler avec mes tuteurs et de mettre mes affaires en ordre.

Jonathan croyait en l'ordre. Il était sans doute un excellent fermier, mais son esprit suivait tranquillement les normes. Il ne tolérait pas le gâchis ni la confusion. Une raison de plus à sa mésentente avec Sibylle, probablement; laissant libre cours à ses émotions, elle devait manquer totalement de discipline vis-à-vis d'elle-même.

Subitement, j'eus l'impression d'avoir trouvé mon second souffle; le tumulte s'apaisa en moi. Je cessai de voir la route à travers un rideau de larmes. Mon pied s'assouplit sur l'accélérateur et mes mains ne tinrent plus le volant comme si elles s'y étaient engluées. J'avais vingt et un ans et j'étais maîtresse de mon destin. J'étais un être humain et non un robot. Je n'avais pas à me laisser tourmenter ni malaxer au gré de chacun. Je n'étais pas un petit chien qui dépendait des humeurs de son maître.

J'avais fui cet esclavage passé. Oui. J'y avais échappé à partir du moment où j'avais mis ma main dans celle de Jonathan. J'avais confiance en lui, sinon en moi. Il n'était pas un idiot et si, vraiment, je n'étais que cette créature craintive, invertébrée et névrosée dont tante Clara avait tenté d'accréditer l'image partout, Jonathan ne m'aimerait pas. Il avait donc vu quelque chose en moi dont j'ignorais l'existence. Il possédait une faculté de perception. Pourquoi ferait-il deux fois la même erreur?

Tante Clara me dit encore, de cette voix détestable qui simulait la sympathie :

– Inutile de te tourmenter, ma chère enfant. Tu viendras bien à bout de cet engouement inexplicable pour ce garçon.

– Ne parlons plus de cela pour l'instant, si tu le veux bien. J'ai besoin de toute mon attention pour conduire. As-tu regardé la carte? Quelle direction prenons-nous après Exeter? Nous approchons. Je crois que nous passons par Honiton?

Je fus contente de ma voix unie. L'attention de ma tante en fut effectivement détournée. Elle chercha la carte du Sud-Ouest dans la boîte à gants et la déplia.

Pourquoi ma tante n'avait-elle jamais appris à conduire? Je m'étais bien souvent posé la question. Durant sa vie brève de femme mariée, lady Cheeseley avait probablement eu un chauffeur à sa disposition. Mais plus tard, au Vieux Presbytère, quand Alison et moi étions petites, elle avait dû louer une voiture avec chauffeur dans un garage des environs pour ses déplacements.

Peut-être avait-elle jugé cette solution plus économique que l'entretien permanent d'une voiture. A moins que ses nerfs, contre toute apparence, ne la trahissent à la perspective d'affronter une circulation toujours croissante sur les routes. Cette idée ne m'était encore jamais venue et elle me paraissait plausible. Le sang-froid de tante Clara m'avait toujours semblé anormal. Que ma tante pût avoir une peur inavouée l'empêchant de conduire une automobile, alors que moi, prétendument faible à en croire son jugement dédaigneux, j'avais appris sur la première voiture d'Alison, un an avant l'âge requis pour passer le permis, quelle ironie! J'avais réussi au premier examen et j'avais éprouvé alors une sensation d'indépendance.

Quand Alison avait voulu revendre sa première voiture, une vieille Ford, je la lui avais reprise, bien que tante Clara y fût opposée. Pour une fois, Alison m'avait soutenue et était passée outre aux objections de sa mère.

« Flora est une conductrice-née. Elle ne « finira pas mal », comme tu dis. Ne fais donc pas d'embarras, maman! Tout un chacun conduit, de nos jours. Et puis Flora t'épargnera quelques courses en taxi », avait déclaré Alison d'un air entendu. « Même les prix des cars sont en hausse; d'ailleurs, tu as horreur des cars. »

Aucun doute, ce fut en songeant à l'argent ainsi économisé que ma tante capitula et Alison l'avait bien prévu. De même que ce fut en songeant à son confort qu'elle donna son accord sur l'achat d'une voiture flambant neuve pour mes vingt et un ans : elle s'était si souvent plainte d'être cahotée dans la pauvre vieille Ford.

Tante Clara suivait une ligne invariable : d'abord son propre intérêt, puis celui d'Alison, celui des autres n'ayant aucune importance. Ils étaient certainement peu nombreux, ceux de ses amis et relations qui percevaient en elle cette âpreté et cet égoïsme. En effet, elle savait aussi être charmante et les comités locaux et les collecteurs de fonds l'appréciaient beaucoup. Sa sociabilité de façade ne se laissait pas facilement entamer. Elle était aussi très capable. Il n'était donc pas surprenant qu'elle fût généralement respectée et admirée; mais y avait-il quelqu'un qui ressente une réelle affection pour elle? Je me posai la question. Ceux qui la rencontraient fréquemment, ceux qui la recevaient et travaillaient avec elle dans les comités, avaient-ils décelé cette froideur qui était le fond de sa nature? Son cœur avait-il toujours été de glace? Non. Elle avait été vulnérable, au moins une fois, sinon elle n'aurait pas été anéantie à ce point lorsque mon père se détourna d'elle pour aller vers sa jeune sœur. Cette trahison – selon elle – l'avait endurcie pour toujours. D'un caractère sans nuances, elle n'avait pu ni oublier ni pardonner. Elle s'était mariée sans amour, « pour sauver la face », comme Alison l'avait dit. Alison, son enfant, avait percé la glace. Personne d'autre ne l'avait fait ou n'avait pu le faire.

Je devrais avoir pitié d'elle, au lieu de lui en vouloir et de la craindre; elle s'était tant tourmentée pendant toutes ces semaines. Peut-être était-ce sa propre blessure qui la poussait à me faire du mal. Pour elle, ce n'était que justice que je souffrisse pour les fautes de mes parents.

Mais tout cela importait peu maintenant, je m'en rendais compte; mon pouls se mit à battre plus rapidement; tout cela n'avait plus d'importance. J'avais échappé. J'étais amoureuse de Jonathan et il était amoureux de moi. C'était tout ce dont j'avais besoin de me souvenir; cela me suffisait pour me protéger des pointes de tante Clara. Au lieu de me tordre de douleur sous ses coups, je devrais plutôt trouver pitoyable la satisfaction qu'elle éprouvait à les donner. Je devrais aussi avoir pitié d'Alison : pour elle, il ne pouvait y avoir de fuite définitive. Le lien mère-fille demeurerait. Ce devait être une chaîne au cou d'Alison.

10

– Je vous le répète, madame, la transaction – ou la part qu'a prise Mr Broadbent, à quelque degré que ce soit – semble avoir été tout à fait régulière. Mr Broadbent est en possession du carnet d'enregistrement de la voiture et elle a été dûment enregistrée à son nom, dit le commissaire de police, impatiemment.

– Ridicule! Comment l'achat d'une voiture volée peut-il être régulier? L'homme avait sans doute compris qu'il s'agissait d'un véhicule volé. Il a bien dû lire quelque chose sur la disparition de ma fille! protesta tante Clara.

– Il semble que non. En outre, la voiture est enregistrée sous le nom d'Alison Cheeseley, et non « Knowles », le nom de plume de votre fille, si je ne me trompe.

– Et le nom sous lequel elle était connue. N'avez-vous pas remonté jusqu'au vendeur? C'est lui qu'il faut saisir.

– Nous sommes en train d'essayer de prendre contact avec lui, madame. Le propriétaire de *L'Eléphant Rose* – l'auberge où la transaction fut effectuée – l'a identifié presque sûrement; l'homme serait steward sur un bateau. Le propriétaire le connaissait sous le nom de Slinky, mais il s'agit certainement d'un surnom. Un autre habitué de l'auberge pense qu'il se nomme Brown.

– Brown? Voilà qui va nous aider! Combien de temps vous faudra-t-il pour enquêter sur tous les Brown de l'arrondissement?

– Soyez assurée que nous poursuivons nos recherches, madame; mais aucun crime ne nous a été signalé. L'homme en question a dû disposer de la voiture au nom de votre fille et sur sa demande.

Une idée me vint subitement :

– Vous dites que Mr Broadbent possède le carnet d'enregistrement ? C'est bizarre. J'ai une voiture, mais je ne traîne pas le carnet partout avec moi. Si ma cousine avait le sien, cela donnerait à penser qu'elle avait l'intention de vendre la Mini.

– Ridicule ! Pourquoi Alison aurait-elle décidé brusquement de se séparer d'une voiture presque neuve ?

Tante Clara me lança un regard menaçant mais je suivis mon idée :

– Et si elle avait projeté d'entreprendre une croisière – une longue croisière – elle aurait pu juger préférable de vendre l'automobile plutôt que de la laisser dans un garage.

– Ridicule ! Comme si Alison avait pu agir ainsi, sans me prévenir. Non. Elle a été kidnappée, c'est l'évidence même. (Puis, se tournant de nouveau vers le commissaire :) J'insiste pour que vous contrôliez tous les bateaux qui ont quitté Southampton à l'époque où ma fille a disparu.

Le commissaire, un homme de haute stature et à l'air affable, caressa pensivement sa moustache blonde.

– C'est une opération considérable, madame. Nous avons des yachts qui sont basés dans l'île de Wight ; nous en avons d'autres qui viennent de Weymouth et même de Dartmouth ou de Falmouth. De toute façon, rien ne permet de conclure que votre fille ait été conduite de force sur l'un de ces bateaux.

– Je ne vois pas la chose ainsi non plus. Il est probable qu'elle est montée à bord d'elle-même ; c'est ensuite qu'elle y a été retenue. Trouvez le steward qui a volé la voiture et vous retrouverez ma fille !

– Nous allons poursuivre nos recherches, madame, mais si le bateau en question a déjà pris la mer, il ne nous sera pas facile de localiser ce Slinky-Brown.

Le commissaire ne prenait pas au sérieux l'hypothèse de tante Clara et je ne pouvais l'en blâmer. Pour quel motif un propriétaire de yacht retiendrait-il à son bord une jeune femme contre son gré? Pour l'enlever? Tante Clara n'avait pas insisté sur la profession d'Alison. L'aurait-elle fait que cela n'aurait sans doute pas changé l'opinion du policier. La plupart des gens prennent des gants avec des journalistes. A moins d'insinuer qu'Alison avait peut-être exercé un chantage sur le propriétaire du yacht, il n'y avait aucun moyen pour convaincre un policier qu'Alison pouvait être en danger.

Tante Clara s'obstinait; le commissaire restait patient et poli, mais sceptique.

– ... Vous seriez surprise, madame, si vous saviez le nombre de jeunes femmes portées disparues qui surgissent un beau jour dans une autre région; elles avaient quitté leur foyer sur un coup de tête, elles avaient trouvé du travail ailleurs, sans se soucier de l'inquiétude de leurs familles. Bien souvent, d'ailleurs, il y a une idylle là-dessous. Les parents désapprouvent le choix de leur fille et elle se sauve avec celui qu'elle aime. A moins qu'elles soient mineures, nous ne pouvons rien faire dans des cas de ce genre...

– Que cet homme est stupide! Il se comporte comme si j'avais perdu un pékinois. Il faudrait que la mer rejette le corps d'Alison sur la côte, alors il activerait ses troupes! s'était exclamée tante Clara tandis que nous regagnions enfin la voiture.

– C'est bien cela. Nous n'avons aucune preuve qu'un crime ait été commis!

– Et la Mini! N'est-ce pas un fait concret?

– Pas vraiment. Si la plaque avait été changée ou

si les serrures avaient été forcées, cela pourrait prouver que l'auto a été volée. Or, il semble que la vente se soit effectuée au grand jour et selon les formes. Et puis, honnêtement, tante Clara, je ne vois pas Alison se laissant kidnapper. On ne la manipule pas si facilement.

– Alors, quelle autre explication as-tu à offrir?

– Elle peut avoir une liaison avec le propriétaire d'un yacht. Est-ce tellement inconcevable? Elle ne m'a presque jamais parlé de sa vie privée ou de ses amis.

– Elle ne serait pas partie avec un homme sans me le dire...

– Suppose qu'il s'agisse d'un homme marié.

– Ridicule! Alison ne commettrait jamais une folie pareille. Elle ne risquerait jamais sa réputation en se laissant impliquer dans un procès en divorce. Elle connaît l'importance de la publicité. Qu'il y ait des bavardages autour d'elle et c'est sa ruine en tant que personnalité de la télévision.

– Ce qui expliquerait précisément cette fuite discrète... éviter les cancans.

– Crois-tu que je ne connaisse pas ma fille? Cesse de dire des bêtises!

Les pommettes de tante Clara s'étaient fortement colorées et il me sembla que les veines de ses tempes avaient gonflé. Je me souvins tout à coup de sa tendance à l'hypertension. Je me demandai avec inquiétude si l'angoisse permanente de ces dernières semaines n'avait pas fait augmenter sa tension artérielle. Si elle s'effondrait brusquement, comment trouverais-je le courage de la quitter? J'eus honte de cette pensée égoïste. Je devrais être préoccupée au sujet de ma tante dans son intérêt à elle et non par rapport à moi. Je ne lui souhaitais aucune maladie, Dieu sait, mais je ne parvenais décidément pas à éprouver envers elle une sollicitude vraiment affectueuse. Tout ce que je désirais, c'était m'éloigner d'elle avec la conscience nette.

J'ouvris en silence la portière de ma Ford Escort et je fis monter ma tante. Je craignais qu'elle n'insistât pour que nous recherchions l'ouvrier agricole qui avait repris la voiture d'Alison; mais il semblait qu'elle fût satisfaite des vérifications de la police.

– Où allons-nous maintenant?

– A la maison, bien sûr. C'est là que se trouve la solution, dans les dossiers d'Alison. C'est là que nous aurions dû chercher avant de nous précipiter à Devon pour cette chasse imbécile. Comment n'y avais-tu pas songé?

– J'avoue que je n'en ai pas eu l'idée. Alison avait coutume d'emporter son porte-documents. Je sais qu'elle a un classeur dans sa chambre où elle range tous ses dossiers mais il est toujours fermé à clef.

– On peut forcer les serrures.

Je n'avais aucun commentaire à faire. Tante Clara était la mère d'Alison. Si elle considérait que ce titre lui donnait le droit de forcer une serrure et de fouiller parmi les papiers d'Alison, ce n'était pas à moi d'en discuter; mais, dans mon for intérieur, je savais qu'Alison verrait la chose d'un mauvais œil.

Lorsqu'elle avait pris cet emploi de journaliste, Alison avait envisagé de louer un appartement à Londres, mais tante Clara s'y était opposée.

– Nous sommes très bien desservis par les trains de Woking, il n'y a pas de raison pour que tu ailles t'installer à Londres. D'ailleurs, il est peu probable que tu trouves un appartement convenable à proximité de ton bureau; il te faudrait donc perdre autant de temps dans le métro ou dans les bus que pour rentrer ici le soir.

Elles avaient trouvé un compromis. Quand Alison travaillerait tard, elle passerait la nuit à son club.

Sinon, et à moins qu'elle ne fût en reportage dans une autre région, elle regagnerait le Vieux Presbytère le soir et elle y passerait ses fins de semaine.

Alison avait transformé le petit cabinet qui précédait sa chambre en coin de travail, avec un bureau moderne et des classeurs pour ses dossiers. Elle avait bien précisé qu'il ne fallait la déranger sous aucun prétexte lorsqu'elle travaillait. Elle avait fait installer une ligne téléphonique séparée, déclinant l'offre de tante Clara de se raccorder sur le téléphone de la maison.

– Je ne tiens pas à ce que mes conversations soient écoutées par qui que ce soit, avait-elle déclaré brutalement, tout en souriant malicieusement aux protestations de tante Clara assurant que « personne n'oserait ».

– Ne serais-tu pas quelquefois tentée de contrôler l'activité de ta chère fille ? Tu sais bien que si. Je m'en voudrais de t'exposer à cette tentation...

Alison était la seule personne que tante Clara ne pouvait pas bousculer à volonté. Peut-être tante Clara admirait-elle sa fille en secret à cause de cela. Elle a dû retrouver beaucoup d'elle-même dans le caractère de sa fille et, en particulier, cette ferme détermination qu'aucune supplication ni plainte ne sauraient entamer. Tante Clara resta presque silencieuse pendant notre voyage de retour. Je lui jetai un coup d'œil de temps en temps ; adossée à son siège, les yeux clos, elle somnolait certainement. La tension nerveuse à laquelle elle avait été soumise l'avait marquée et je compris que son entrevue avec le commissaire affable l'avait profondément déçue. Pour elle, bien sûr, c'était le destin d'Alison qui importait. Pour la police, elle n'était qu'une mère de plus qui s'inquiétait sans nécessité parce que sa fille, pour des raisons personnelles, avait omis de donner de ses nouvelles. Ne connaissant ni tante Clara ni Alison, les policiers ne voyaient là aucun motif de s'alarmer. Alison n'était plus une gamine innocente. Elle était « quelqu'un » dans une certaine petite société. Une journaliste qui avait son expérience devait être capable de s'occuper d'elle-même.

Sa disparition ne semblait pas déranger spécialement sa directrice ou ses collègues, je m'en souvenais tout à coup. En savaient-ils – ou en soupçonnaient-ils – davantage qu'ils n'avaient dit à tante Clara? Alison les avait-elle avertis qu'elle partait « en mer »? Leur avait-elle fait promettre le silence?

Nous arrivâmes au Vieux Presbytère tard dans la soirée. La maison n'avait apparemment pas souffert de l'absence de sa maîtresse. Elle était toujours aussi bien tenue, avec des fleurs fraîches sur la table; un repas chaud fort appétissant nous attendait. Dans le salon, il y avait beaucoup de fleurs et le feu flambait joyeusement. Les dernières éditions du magazine d'Alison étaient soigneusement empilées sur une table près du feu. Pendant que nous prenions le café, je pris la revue parue dans la semaine; j'étais curieuse de savoir comment la directrice expliquait l'absence de la rubrique populaire d'Alison. A mon grand étonnement, elle y tenait sa place habituelle... « Ce que j'en pense » par Alison Knowles. Je m'écriai alors sans réfléchir :

– Etrange! Alison a-t-elle continué à envoyer ses papiers pendant tout ce temps ou bien les avait-elle écrits avant de partir?

Tante Clara m'arracha presque le magazine des mains. Elle regardait fixement l'en-tête familière avec incrédulité.

– Extraordinaire! dit-elle d'une voix blanche.

Je jetai rapidement un coup d'œil dans les numéros précédents. La rubrique y figurait. Je supposai alors qu'elle avait peut-être plusieurs articles en réserve ou certains d'entre eux; mais pas tous, cependant. Quelques-uns se référaient à des événements qui s'étaient déroulés dans la semaine précédant la publication. Ils avaient donc été rédigés depuis la disparition d'Alison.

— Si Alison est prisonnière, en tout cas, elle n'est pas totalement coupée du monde. Son ravisseur lui permet d'envoyer ses papiers...

— Ridicule! Si Alison pouvait communiquer avec sa directrice, elle pourrait aussi m'écrire. C'est quelqu'un d'autre qui a écrit sa rubrique.

C'était plausible; mais il me semblait bien reconnaître le style caractéristique d'Alison. Etait-ce possible qu'un autre pût imiter aussi parfaitement ce style? Etait-ce seulement permis de le faire? Ou même de mettre en tête de la rubrique la photo d'Alison ornée de sa signature? La mention « Alison Knowles » n'était-elle pas en quelque sorte une marque commerciale, propriété exclusive de l'auteur?

— Je vais appeler la directrice demain matin, dès l'ouverture du bureau. J'exigerai l'explication de cette... imposture. Personne n'a le droit d'utiliser la signature d'Alison. C'est tromper le public! annonça ma tante indignée.

— A moins qu'Alison n'ait arrangé l'affaire elle-même, si elle pensait être absente pour quelque temps... commençai-je, mais tante Clara me coupa brusquement la parole.

— Absolument ridicule! Alison ne serait jamais partie où que ce soit sans m'en toucher un mot. Elle sait bien que je serais trop inquiète.

Oui, bien sûr. Alison l'aurait bien prévu; mais il était possible aussi que cela ne l'eût pas détournée de son projet. Si Alison avait un plan que sa mère eût inévitablement désapprouvé, elle aurait pu choisir ce moyen pour éviter supplications et reproches. Un procédé inhumain, mais cette dureté faisait partie du caractère d'Alison. Pour un motif impérieux si, par exemple, pour la première fois de sa vie, Alison était tombée passionnément amoureuse, elle était bien capable de tout casser et de partir.

Tante Clara reposa sa tasse vide et se leva.

– Les dossiers! Il faut que nous regardions ces dossiers.

– Ce soir? Tu es fatiguée, tante Clara. Les dossiers ne peuvent-ils pas attendre demain?

– Nous avons déjà perdu trop de temps. Crois-tu que je vais dormir? Demande un tournevis ou un burin à Cook et rejoins-moi dans la chambre d'Alison.

Je me rendis compte qu'il était inutile d'essayer de la dissuader, mais la perspective de fouiller dans les papiers d'Alison me déplaisait infiniment. Cela ressemblait fort à ce que Jonathan appellerait une « invasion dans la vie privée ». Peut-être appréhendais-je aussi quelque découverte fâcheuse.

Sous l'œil sévère et dur de tante Clara, je réussis à ouvrir le classeur; tremblante, je m'assis ensuite sur mes talons, comme si ces belles rangées de chemises allaient exploser devant moi.

Ma tante déplaça plusieurs dossiers vers le bord de la tablette et me dit sur un ton désappointé :

– Ils ne sont pas datés. Ils sont par ordre alphabétique. Nous ferions mieux d'en prendre chacune quelques-uns et de les parcourir. N'hésite donc pas, enfant!

Instinct primitif de conservation ou sixième sens, je pris le dossier marqué « M ». Pour March, pensais-je. Et pour Merstone. S'il y a quelque chose sur Jonathan ou sur moi, ce doit être là.

De peur que tante Clara ne devinât ma pensée et ne me reprît ce dossier particulier, je me hâtai de saisir ses voisins « L » et « N ».

– Si tu n'es pas fatiguée, moi je le suis. Je vais prendre un bain. Je parcourrai les dossiers au lit.

Je me sauvai avant qu'elle pût trouver un prétexte pour me retenir.

11

Je ne traînai pas dans mon bain. En dix minutes,
je fus au lit, ma porte fermée à clé. J'éprouvai
quelque remords à laisser ma tante seule mais, à
présent, elle était chez elle. Si elle désirait quelque
chose, elle n'avait qu'à sonner sa cuisinière-femme
de charge.

Je ne voulais pas risquer de faire une découverte
dans le passé de Jonathan en présence de tante
Clara. Même si je mettais tout en œuvre pour la
dissimuler, elle percevrait inévitablement mon agitation. Elle avait le flair d'un chien de terrier,
comme sa fille.

J'ouvris le dossier marqué « M ». Il était épais et
contenait des feuilles de papier d'écolier couvertes
de la grande écriture étrangement énergique d'Alison, des coupures de journaux, des photos, le tout
mélangé avec des feuillets sténographiés. Aucun
index pour me guider; rien qui indiquât si les notes
étaient classées par ordre chronologique ou non.

La première page de notes concernait une
miss Laramie Manning-Manning. Je me souvenais
vaguement de ce nom; cette femme fut l'une de ces
exploratrices intrépides qui s'aventurèrent dans des
territoires peu connus; elle avait écrit des livres
relatant ses voyages. Le dossier contenait des
détails biographiques, des photos d'elle, au cours
d'un safari sans doute et des comptes rendus de
certains de ses livres. Tout cela ne me disait rien;
pourtant, à la fin, je trouvai un article tapé à la
machine. Ce texte, dans le style gai d'Alison, avec

une nuance de malignité au second plan, démasquait les prétentions de la célèbre voyageuse. Selon Alison, les expériences excitantes de l'auteur se tirant d'un danger au dernier moment étaient purement imaginaires, d'autant que cette situation se répétait; ce n'était que mystification adroite et réussie d'un public crédule. Des dates et des croquis étaient là pour appuyer les déductions d'Alison. Entre autres, à l'époque où miss Manning-Manning, selon sa relation de voyage, échappait de justesse aux mâchoires d'un tigre mangeur d'hommes, elle était en réalité dans son cottage de Berkshire, clouée au lit avec une crise de gastro-entérite aiguë. Et il y avait bien d'autres exemples de ce genre, tous dûment documentés et apparemment véridiques.

Je ne lus pas l'article dans sa totalité. J'étais un peu fatiguée. Quel plaisir pouvait donc prendre Alison à la rédaction de tels exposés? Ma sympathie allait à cette malheureuse femme dont Alison pouvait effectivement détruire la carrière. Certes, on ne devrait pas se moquer délibérément de ses lecteurs en présentant une fiction comme un fait réel, il n'en restait pas moins vrai que les livres de Laramie Manning-Manning étaient divertissants et bien écrits, à en croire les critiques qu'Alison avait rassemblées. L'article d'Alison avait-il jamais été imprimé? Je ne me souvenais pas l'avoir lu. Etait-ce possible que Laramie Manning-Manning ait généreusement payé pour qu'il ne fût pas publié? Je tournai les pages au hasard et, soudain, je tombai sur l'en-tête « Où sont-ils aujourd'hui? ». Au-dessous, ce qui semblait être des suggestions de titres : « Les nombreux ménages de lord M. », « Q. et sa quête d'un amour durable », « Le pair à la recherche de la perfection! ». Sous les titres, de brefs détails sur trois mariages contractés par le pair en question. Suivaient des coupures de presse, des reportages sur les cérémonies nuptiales, des interviews des intéressés et des photos de journaux. L'une d'elles montrait un homme grand et mince, d'allure élégante, en tenue de ville, à côté d'une jeune fille en robe de mariée, blanche et vaporeuse, portant une coiffure compliquée; probablement l'un des trois mariages. Le vicomte Marble, fils aîné du comte de Tregony? Oui, j'ai entendu parler de lui. Je me souvenais qu'Alison était allée à l'un de ses mariages et avait fait un papier pour son journal.

La cérémonie avait eu lieu dans le bureau de l'état civil, peu après que le vicomte Marble eut divorcé de sa seconde femme. Alison avait mis l'accent sur le contraste entre ce mariage et le second qui s'était déroulé avec tapage, dans une église londonienne à la mode.

Il ressortait des coupures de presse que le premier mariage avait eu lieu à la suite d'un enlèvement romantique alors que le noble lord était encore étudiant. La fiancée était la toute jeune fille de la propriétaire du garni qu'il habitait à l'époque. Cette union avait pris fin un an plus tard, avec la mort tragique de sa femme et de son bébé dans un accident de voiture; lui-même avait été gravement blessé.

Quin – la presse populaire l'appelait ainsi – devint une personnalité dans la société anglaise après son second mariage avec une lady Bridget Kirby. Je ne comprenais toujours pas pourquoi il avait atterri dans la série d'Alison « Où sont-ils aujourd'hui? ». Encore des photos de lui en tenue d'équitation ou de marin, dans des bals, aux courses, dans des premières, dans des régates. De toute évidence, l'argent lui brûlait les doigts, mais il n'avait pas l'air d'un viveur. Son visage était fin et intelligent, son sourire était désarmant, étrangement gamin.

Un peu intriguée, je tournai les coupures d'une chiquenaude et j'eus sous les yeux une copie d'Alison décrivant le troisième mariage. Pour incongru que cela pût paraître, la troisième épouse de Quin était une botaniste et horticultrice de renom; elle tenait la rubrique du jardinage dans un magazine mensuel. D'après l'interview, la nouvelle lady n'avait pas de temps à consacrer aux obligations mondaines. Quin avait tout lâché, avec l'intention d'accompagner sa femme à la recherche de plantes rares, des orchidées en particulier. Il était en train de faire construire une serre à orchidées très perfectionnée sur sa propriété campagnarde.

D'autres notes écrites de la main d'Alison suivaient; elles avaient pour titre : « Les plantes ont pâli! » Après avoir lu, j'en tirai la conclusion que, lady Marble étant en tournée de conférences aux Etats-Unis, son mari, parti avec elle, l'avait brusquement abandonnée.

« Où est donc l'insaisissable Quin? Ce mariage est-il en train de se briser? Pourquoi? Jalousie? Déception? Absence d'héritier? Qu'y a-t-il de vrai dans les rumeurs qui courent sur lady M. et le Pr C.? » avait écrit Alison. « Vaut la peine de chercher. La maison de Quin dans le Kentucky? Repéré aux courses avec la veuve d'un magnat du pétrole? Divorce dans l'air? Où est le bonheur? »

Une fois de plus, je réagis par une sorte de dégoût. Pourquoi Alison se croyait-elle obligée de fouiller dans la vie privée des gens? En quoi était-elle concernée si ce troisième mariage de Quin était en train de faire naufrage? Comment pouvait-elle passer son temps à mettre bout à bout des rumeurs qui circulaient et des bribes de bavardages? Ne lui était-il donc pas possible de laisser les autres en paix?

Elle avait noté : « Vaut la peine d'enquêter... » Voulait-elle dire qu'elle avait l'intention de mener son enquête elle-même? Se pouvait-il qu'elle se fût envolée pour les Etats-Unis pour traquer l'homme qu'elle appelait « l'insaisissable Quin »? J'en doute. Quelle importance avait cet homme? Ses problèmes matrimoniaux ne vaudraient certainement pas plus qu'une mention succincte dans sa rubrique hebdomadaire.

J'étais bien lasse. Je bâillais et mes paupières étaient lourdes. Je tournai encore quelques pages. Pas de March. Les sujets suivants s'intitulaient « Minnie Matley – M.P. et les faux-monnayeurs » et « Peter Masterson, ex-promoteur ». Deux noms que je connaissais vaguement. Ils avaient été impliqués dans un scandale retentissant, me semblait-il, qui avait fait les manchettes des journaux quand j'allais encore au collège. Je n'en avais plus entendu parler depuis des années. Alison et ses squelettes! pensais-je. Je ne me sentis pas l'envie de lire les pages tapées à la machine qui ne manquaient sans doute pas de révéler le lieu où se trouvaient maintenant les deux fraudeurs associés.

Après un nouveau bâillement, j'étais sur le point de refermer le dossier quand quelque chose me tira de ma somnolence presque violemment. J'étais fascinée par un instantané, probablement pris par un amateur; il était pâle et commençait à jaunir. Il montrait un homme et une jeune fille en maillot de bain près d'une petite piscine. La jeune fille était en équilibre sur un plongeoir, la tête tournée vers l'homme, souriant joyeusement. L'homme qui la regardait était élancé et souple, imberbe, mais il n'y avait pas à se tromper sur le profil. Jonathan... un Jonathan beaucoup plus jeune et séduisant...

Mon cœur se mit à battre. La jeune fille était une blonde éblouissante, sa chevelure descendait jusqu'à la taille. Même sur cette vieille photo, elle était tout à fait charmante. Sibylle? me demandais-je. Un instantané pris dans les tout premiers jours qui suivirent le mariage de Jonathan, peut-être près du bassin de l'école? Sans savoir pourquoi, j'en doutais. Le bassin ne semblait pas assez grand ni fonctionnel pour une école. Il ressemblait plutôt à l'un de ces petits bassins qui faisaient inévitablement partie des jardins des hommes d'affaires fortunés; c'était la mode, il y a quelques années. Ce jardin-ci me parut être une roseraie, avec une pergola de roses à l'arrière-plan. Il y avait un autre homme au fond. Il avait sans doute été pris en dehors de l'objectif, mais je pouvais distinguer qu'il portait un pantalon et une chemise sport.

L'instantané avait été collé sur une feuille de papier bleu pâle. Je tournai la feuille avec appréhension. Je pus lire au dos, griffonnées dans une écriture coulante que je ne connaissais pas, ces quelques lignes : « Maria et Johnny Maurcheston, dans la roseraie de John Maurcheston. Désolée pour le flou, mais c'est bien Maria. Elle avait un charme réel. Les hommes en étaient fous au « Pélican ». Rien d'étonnant que Johnny en ait été follement jaloux. Personnellement, je n'ai jamais douté qu'il l'ait tuée, dans un accès de rage, non de sang-froid. Meurtre sans préméditation plutôt qu'assassinat, je suppose. Ce fut la mort soudaine de John Maurcheston qui embrouilla toute l'affaire.

« J'espère avoir été utile. Serais heureuse de recevoir le chèque promis. Le travail manque sérieusement depuis l'ouverture du nouveau super-marché et, la famille s'agrandissant, l'argent est décidément juste. Je pense que nous devrions vendre tant que nous le pouvons, mais Ronnie fait partie de ces gens qui résistent jusqu'à la fin.

« Bonne chance pour ta série! A ta disposition, comme toujours. Billie. »

Des ondes glacées me parcouraient le dos. J'essayais de me convaincre qu'il s'agissait d'une erreur. Mais... tout cela se tenait. Il fallait lire Jonathan March pour Johnny Maurcheston. Jonathan n'avait-il pas admis qu'il avait travaillé à la roseraie de son oncle pendant quelque temps? Que son oncle était mort subitement et qu'il avait fallu vendre l'affaire?

Mais... c'était incroyable que Jonathan, que mon

doux et tranquille Jonathan, si maître de lui, ait pu tuer une jeune fille, accidentellement ou intentionnellement, dans un « accès de rage ». Non. C'était impossible, pensai-je désespérément. S'il l'avait fait, il me l'aurait dit.

Faisant suite à cette communication de Billie, je trouvai encore un tas de coupures de presse; la première s'intitulait : « Mort mystérieuse d'une chanteuse populaire. Maria Springle trouve la mort dans une piscine. » Tout à fait illogiquement, il m'apparut que j'avais toujours détesté les gros titres; surtout ceux de la presse à sensation. Ils me sautaient au visage tandis que je fouillais parmi les feuilles. « Découverte tragique de l'ex-fiancée... », « Comment est morte Maria ? », « Double tragédie dans la roseraie Maurcheston », « Des meurtrissures sur le cou de Maria, on pense à un guet-apens », « Que faisait le témoin, John Maurcheston, avant de mourir ? »

Je voulus refermer le dossier, mais il était trop tard. C'était la boîte de Pandore. Je n'oublierai pas ces titres aussi facilement. Je me mis à lire les textes imprimés en caractères plus petits, sous les manchettes. Il fallait que je sache ce qui était arrivé à la roseraie Maurcheston...

« La police a été appelée tard dans l'après-midi d'hier pour enquêter sur deux morts mystérieuses survenues à la célèbre roseraie de John Maurcheston. John Maurcheston a été trouvé mort d'une crise cardiaque, semble-t-il, près de la piscine de son jardin privé. C'est son neveu qui a fait la découverte tragique, Jonathan... »

Jonathan ? et non Johnny ? C'était absurde, mais je me sentis soulagée que Jonathan ait conservé son nom de baptême. Mais alors, qui était Johnny ?

Je poursuivis ma lecture, m'efforçant péniblement de me faire un tableau net de la situation. Il semblait que Jonathan ait trouvé son oncle recroquevillé près du bassin. N'ayant pas réussi à le réanimer, il s'était précipité dans la maison pour appeler le médecin. Ce ne fut qu'après être revenu à la piscine qu'il aurait vu « la jolie chanteuse, Maria Springle, son ex-fiancée »; elle était dans l'eau, à une extrémité du bassin. Il avait plongé et l'avait sortie, mais toutes les tentatives de respiration artificielle échouèrent. Selon le médecin, elle était morte depuis au moins deux heures. L'autopsie avait prouvé qu'elle n'était pas morte de noyade, mais d'un coup sur la tête, évidemment survenu alors qu'elle plongeait – ou tombait – dans le bassin. On avait tout d'abord pensé que John Maurcheston avait été témoin de son plongeon fatal et que ce fut en tentant de la secourir que son cœur avait lâché. Ensuite, le bruit courut que l'on avait trouvé des marques sur le cou de Maria, comme si quelqu'un l'avait empoignée sauvagement. Y avait-il eu combat et son assaillant l'avait-il jetée dans le bassin? Etait-ce l'émotion qu'éprouva John Maurcheston, témoin de la lutte, qui l'avait tué? A-t-il tenté d'intervenir? Se serait-il alors effondré?

Pas Jonathan, pensais-je à nouveau, en proie au désespoir. Il ne prendrait pas une jeune fille à la gorge pour la précipiter dans l'eau...

Vraiment? Qui savait de quoi était capable un homme en rage? Mais... Jonathan ne se serait pas enfui en laissant la jeune fille inconsciente dans l'eau. J'en étais convaincue. Ce trait serait par trop étranger à son caractère.

Seul un homme haineux, un froid calculateur, pouvait avoir abandonné Maria dans le bassin et l'oncle affaissé, pendant qu'il se créait un alibi. Je ne m'imaginais pas Jonathan reprenant son travail à la roseraie et revenant plus tard sur le lieu de la tragédie.

Et pourtant, c'était bien ainsi que la police semblait avoir reconstitué la scène. Tout d'abord, le compte rendu relatait que Jonathan était au poste de police local, « il aidait les policiers dans leur enquête ». Un peu plus loin, il ressortait nettement que le coroner ne croyait pas à la version de Jonathan. L'enquête avait été ajournée, et l'on insinuait qu' « une arrestation était imminente ».

Je compris que Jonathan avait été fiancé à Maria Springle, tout d'abord secrétaire de John Maurcheston. Ensuite, Maria avait gagné un concours de chanteurs amateurs au *Pélican Club*, tout près de Norchester. On lui avait alors offert de devenir chanteuse pour « Johnny Just et ses Johns », un groupe pop qui montait, et qui se produisait régulièrement au *Pélican*.

« Johnny Just » était John Maurcheston junior, le fils unique de John Maurcheston, le cousin de Jonathan.

Maria avait accepté l'offre et avait quitté la roseraie. Deux mois plus tard, elle avait rompu ses fiançailles avec Jonathan et s'était fiancée avec Johnny. Il y avait des photos de presse de Johnny. C'était une réplique de Jonathan; seulement, plus âgé, plus onctueux, plus arrangé, il portait les cheveux longs jusqu'aux épaules et affichait un sourire de charmeur professionnel. Le jour de la mort de Maria, Johnny était allé voir son imprésario à Londres. Il avait déjeuné avec lui puis il était allé au cinéma avant de rentrer à Norchester. Il était arrivé au *Pélican* une demi-heure avant son entrée en scène... pour y être accueilli par la nouvelle de la mort tragique de son père et de sa fiancée. Il en avait paru ému et attristé; il avait été au bord de l'effondrement, et son médecin lui avait ordonné le repos complet – mais seulement après qu'il eut lancé de violentes menaces et des accusations contre son cousin, Jonathan.

« Il était fou de Maria. Il ne lui a jamais pardonné d'avoir rompu. Je l'avais mise en garde contre lui », aurait déclaré Johnny. « Je le tuerai... »

Jonathan n'avait ni accusé ni menacé. Il s'en était simplement tenu avec opiniâtreté à sa version. Il ne savait pas que Maria était à la roseraie. Il avait passé l'après-midi à écussonner les rosiers. Il faisait chaud, il avait travaillé en plein soleil et avait décidé d'aller faire un plongeon dans le bassin quand il aurait terminé son travail. C'était la raison de sa présence dans le jardin privé et ce fut ce qui l'avait amené à faire sa tragique découverte.

Il y avait des témoins pour attester de son activité de l'après-midi, mais personne n'avait travaillé avec lui; personne ne pouvait prouver qu'il n'était pas allé à la piscine plus tôt. Il pouvait s'être esquivé dans la propriété, il pouvait y avoir trouvé Maria et s'être laissé emporter par la colère, la jalousie et la déception le submergeant tout à coup. Son oncle, entendant des éclats de voix, serait accouru pour tenter d'intervenir mais se serait effondré.

Tout cela n'était que supposition. Face aux rumeurs, aux spéculations et aux questions de la police et de la presse, Jonathan était resté apparemment « froid, calme et sans émotion », notait un journaliste.

« J'aimais Maria. Jamais je ne lui aurais fait de mal », aurait-il déclaré. « Oui, bien sûr, ce fut un coup quand elle changea d'idée, mais je le compris. Elle était ambitieuse et elle voyait un avenir étourdissant pour elle avec Johnny et son groupe. J'espérais toujours qu'elle changerait d'avis. Je n'avais rien d'autre à faire. »

Comme on lui demandait s'il avait quelque raison de supposer que Maria reviendrait un jour vers lui, il avait répondu prudemment qu'il y avait « certains signes ». Maria était « impatiente », et il avait constaté que son cousin recherchait la perfection et qu'il était un chef exigeant. Peut-être le succès de Maria était-il venu trop facilement, au moment où elle s'était jointe au groupe, elle n'avait pas compris bien clairement qu'elle devrait travailler beaucoup et se soumettre à une discipline rigoureuse.

L'homme qui avait pris cette interview était un journaliste local qui paraissait avoir très bien connu Jonathan et qui était disposé à accepter sa version. Il avait interrogé différents membres du groupe. La plupart faisait bloc derrière Johnny mais l'un d'eux avait avoué qu'il y avait parfois des flambées entre Maria et Johnny. Selon lui, Maria était « emportée et capricieuse », « n'admettant pas la critique », ajoutant qu'il n'aurait pas été surpris d'apprendre qu'elle avait décidé que le jeu n'en valait pas la chandelle et d'abandonner la partie.

Dans l'ensemble, la sympathie populaire était du côté de Johnny, l'étoile de la ville dans le monde de la pop musique; de toute évidence, peu de gens doutaient réellement de la culpabilité de Jonathan. Il semblait que Jonathan dût être arrêté et inculpé d'homicide involontaire sinon de meurtre. Pourtant, la police s'en était abstenue. Pourquoi? Par absence de preuves directes? Ou parce que les dénégations obstinées de Jonathan avaient emporté sa conviction?

Ce dut être épouvantable pour lui, pensais-je avec compassion; cette attente insupportable, cette arrestation toujours possible avec, pour seule défense, ses protestations d'innocence. Comment l'affaire s'était-elle terminée? Sans conclusion, d'après les coupures de journaux. Aucune mention de l'arrestation de Jonathan ni de quiconque. La police avait-elle classé le dossier? Avait-elle laissé l'affaire s'ensevelir dans le mystère? C'était peu satisfaisant car, dans ce cas, la suspicion continuait de peser sur Jonathan.

Jonathan... et Johnny? Je retournai aux griffonnages de Billie. « Johnny était follement jaloux », avait-elle écrit. Johnny – pas Jonathan? Peut-être. Pourquoi pas? Si Maria commençait à se repentir de sa décision de lier sa vie à celle de Johnny... si elle pensait avec regret à Jonathan.

Je regardai encore une fois ces photos de presse de Johnny. Un beau sourire assuré, conscient de son charme. Vaniteux? Oui, il y avait un grain de vanité dans ce sourire étudié. Sans doute un caractère ambitieux; pas le genre à accepter une défaite avec philosophie. C'était lui qui avait « découvert » Maria et lui avait donné une place dans son groupe. La rupture de la chanteuse et son retour à son cousin seraient certainement ressentis comme un coup mortifiant pour sa fierté.

La police avait-elle vérifié l'emploi du temps de Johnny aussi scrupuleusement que celui de Jonathan? Oui. Elle devait l'avoir fait. Peut-être n'a-t-elle pas trouvé la preuve que Johnny ait vraiment été au cinéma? Peut-être a-t-elle soupçonné Johnny d'être revenu à Norchester dans l'après-midi et, n'y trouvant pas Maria, de l'avoir suivie jusqu'à la roseraie de son père? Johnny aurait pu la saisir près de la piscine, dans une crise de jalousie subite. Il l'aurait accusée de profiter de son voyage à Londres pour rencontrer son cousin en secret. Elle lui aurait alors dit qu'elle avait changé d'avis quant à leur mariage. Il l'aurait empoignée et secouée. Ce serait en tentant de s'échapper qu'elle aurait glissé et serait tombée en arrière dans le bassin... Bien! Johnny était-il un homme à sauver sa propre peau sans se soucier qu'un autre en souffrît à sa place? N'était-il pas plausible que ce fût le choc de voir son fils unique impliqué dans cet accident tragique qui provoqua la crise cardiaque de John Maurcheston? Aurait-il été secoué à ce point s'il s'était agi de son neveu?

Peut-être. Peut-être avait-il été amèrement déçu du refus de son fils de devenir son associé dans la roseraie et il avait trouvé une sorte de compensation dans l'enthousiasme de Jonathan pour les roses.

Je tombai sur une autre coupure, de date plus

récente, également tirée de cette *Gazette de Norchester* qui avait publié l'interview favorable à Jonathan. Elle avait pour titre : « Un autre coup pour Jonathan March », et avisait les lecteurs de la vente aux enchères de la roseraie Maurcheston.

Selon cet article, Jonathan avait travaillé pour son oncle après que les deux hommes eurent décidé que, s'il montrait des dispositions, il deviendrait associé à part entière et hériterait de l'affaire en bonne et due forme. Le contrat d'association avait été rédigé en même temps qu'un nouveau testament par le notaire de John Maurcheston, quelques jours seulement avant sa mort. Par une malheureuse coïncidence, John Maurcheston avait pris rendez-vous pour la signature des documents pour le lendemain de ce jour tragique. Ainsi Jonathan, à quelques heures près, avait perdu sa situation d'associé et l'héritage promis. Le testament précédent laissait tout à Johnny Maurcheston... et Johnny avait choisi de vendre la roseraie.

Le compte rendu était rédigé avec soin et les faits y étaient notés sans commentaires; mais il était facile de lire entre les lignes. Le journaliste ami de Jonathan n'était pas un ami de « Johnny Just », c'était évident. Il pensait que c'était intentionnellement que l'on avait voulu en faire voir de dures à Jonathan, c'était tout aussi évident.

Pourquoi Johnny n'avait-il pas exécuté les volontés de son père? Pourquoi, au moins, n'avait-il pas offert à Jonathan la moitié de la roseraie? Il aurait certainement pu mettre en œuvre ce contrat d'association et laisser Jonathan diriger la roseraie, se contentant lui-même de la moitié des bénéfices. S'en tenir à la lettre de la loi et se saisir de l'ensemble, voilà qui était moralement, sinon légalement, indéfendable.

« Johnny Just » et son groupe en vogue n'avaient probablement pas besoin de l'argent du père. Pour-

quoi avait-il traité son cousin avec autant de mes-
quinerie? Par jalousie? Y avait-il eu des mots entre
eux? Ou... une arrière-pensée... parce que Johnny tenait Jonathan pour responsable de ces deux morts?

– Oh! non. Pas Jonathan! m'écriai-je à haute voix.
C'est Johnny qui a dû tuer Maria... comme le
suppose Billie. Jonathan le savait sans doute. Peut-
être n'a-t-il rien voulu accepter de son cousin. Cela
lui ressemblerait bien.

Qu'était-ce donc qui avait excité l'intérêt d'Alison
dans cette affaire? L'élément mystérieux? Qu'en
a-t-elle fait? Pourquoi est-elle allée rechercher Jonathan? Il n'était pas – et n'a jamais été – une
célébrité. Ni son passé ni son présent n'étaient de
nature à éveiller la curiosité de ses lecteurs. L'avait-
elle confondu avec son cousin, comme Jonathan
l'avait suggéré?

Le dossier s'achevait sur une page de notes de
l'écriture d'Alison, malheureusement brève. Elle
avait écrit: «Montée et chute d'un groupe pop.
Johnny Just et ses Johns. Pendant cinq semaines en
tête de la musique pop, il y a trois ans. Encore dans
le «Top-vingt», six mois plus tard. Tournée triom-
phale aux Etats-Unis. Tournée en Amérique du Sud
interrompue brusquement. Le groupe se disperse.
Pourquoi? Rumeurs: Johnny aurait laissé le groupe
se désagréger pour retourner en Angleterre. Plus
rien depuis. Vu à Plympton Market? Caché à Dartmoor? A voir. Vérifications chez marchands de
fonds. »

La mention du marché et de Dartmoor semblait
confirmer la version de Jonathan: la visite d'Alison
reposait sur une confusion d'identité. C'était évidemment «Johnny Just» qu'elle avait voulu dépis-
ter. Et elle avait découvert son cousin.

J'aurais voulu être témoin de l'entrevue. Jonathan
l'avait-il convaincue de son erreur? Lui avait-il
donné quelque indice quant à l'existence actuelle de

son cousin? Avait-il donné une indication ou avait-il perdu tout contact avec Johnny?

Il était vraisemblable que Jonathan ait été contrarié de l'intrusion d'Alison et qu'il se soit refusé à raconter quoi que ce fût. Quelles conclusions Alison avait-elle tirées de ses réticences?

J'eus un petit pincement au cœur en me souvenant que Jonathan ne m'avait même pas parlé de Johnny ou de Maria. Il n'en aurait certainement pas parlé non plus à une journaliste. Quoi qu'il en soit, il aurait pu me faire confiance. Il aurait dû savoir que je comprendrais et partagerais...

12

Le matin suivant, dès mon réveil, je m'empressai de faire disparaître du dossier toute l'affaire Maurcheston. Je ne m'imaginais que trop ce que tante Clara ferait de ces coupures. Elle n'hésiterait pas à les donner à mes autres tuteurs, elle insisterait sur le fait qu'il n'y avait aucune raison valable de douter de la responsabilité de Jonathan dans ces deux morts.

Je frissonnai à la pensée de l'usage qu'elle en aurait fait si elle les avait découvertes avant que la voiture d'Alison ait été retrouvée. Elle aurait pu s'arranger pour persuader la police qu'un homme au caractère aussi féroce que Jonathan, qui avait attaqué une jeune fille, n'hésiterait pas à en attaquer une autre; et que, ayant modifié son nom, il irait jusqu'au bout pour préserver sa nouvelle identité.

Je mis les papiers dans une enveloppe que je glissai sous la doublure qui protégeait le fond d'un tiroir de ma commode. Mes sous-vêtements y étaient rangés. Tante Clara furetait certainement dans ma chambre, mais je doutais qu'elle fût en état de mettre mes tiroirs sens dessus dessous pour le moment.

Je repris l'étude du dossier après le thé du matin, mais plutôt superficiellement. Je connaissais Alison et son obstination de terrier. Elle n'aurait pas abandonné les Maurcheston sous le seul prétexte que la piste de Dartmoor l'avait conduite à Jonathan et non à Johnny. Jonathan avait sans doute joué avec beaucoup de prudence, mais c'était précisément cela qui aurait pu la pousser à localiser ce « Johnny Just » autrefois si populaire, avec une ardeur accrue.

Les soupçons ne s'étaient jamais véritablement portés sur lui, et il semblait avoir poursuivi sa carrière avec son groupe un bon moment après la tragédie. Dès lors, pourquoi s'était-il évanoui aussi brusquement et au beau milieu d'une tournée ? La police de Norchester avait-elle reçu de nouveaux renseignements ? Etait-elle sur le point de l'inculper ?

Mais... Il aurait été bien protégé en Amérique du Sud ! N'était-ce pas le refuge de certains criminels professionnels ? Il n'existait pas d'accords d'extradition avec plusieurs pays. Quelle était la raison qui incita Johnny à prendre cette décision ? Jonathan la connaissait-il ? Johnny était-il resté en contact avec lui ? J'avais ainsi une foule de questions auxquelles je ne trouvais pas de réponses. Je parcourus distraitement tout le dossier. Je passai sur les articles tapés à la machine. Si Alison avait déjà rédigé ses réflexions sur une « fouille archéologique », c'est que le sujet pouvait être considéré comme épuisé.

Puis, je découvris mon propre nom. Je fis alors une pause, avec un pincement d'appréhension. Ainsi Alison avait établi un dossier sur moi ? Bien typique de son tempérament pointilleux, mais certainement une perte de temps. Excepté la mort de mes parents, il ne m'était jamais rien arrivé de remarquable jusqu'à présent; jusqu'à ma rencontre avec Jonathan. Pourquoi donc avait-elle pris la peine de m'inclure dans ses recherches? De consigner mon passé bien terne?

Comment s'y prenait-elle pour entrer en possession de ces coupures concernant des événements vieux de plusieurs années? Moi, je ne saurais jamais à qui m'adresser. Elle avait déterré un article de journal sur ce terrible accident de car qui avait fait quatre victimes et plusieurs blessés. Il y avait aussi un compte rendu de l'enquête sur les victimes et les demandes d'indemnités et même une photo jaunie de moi, sous-titrée : « L'orpheline tragique, la petite Flora Merstone. » Aucune indication de date ni de lieu.

Bien sûr, on ne m'avait pas montré ces articles de journaux à l'époque et je ne désirais pas les lire maintenant. Le temps avait heureusement brouillé les souvenirs de ce choc déchirant. Je me rappelais vaguement mon excitation tandis que j'aidais ma mère à préparer une valise avec mes affaires de nuit. En effet, je devais passer la nuit et le jour suivant chez nos voisins les plus proches, dont la fille unique était ma meilleure amie. Joan... Joan comment? Je n'avais plus pensé à Joan depuis bien des années et je ne me souvenais même plus de son nom de famille. Cet après-midi-là, nous avions ramassé des châtaignes à la sortie de l'école. Nous les avions fait griller le soir, dans la cheminée de la salle à manger, chez les parents de Joan. Nous nous étions roussi les doigts et nous avions fait un beau gâchis avec les écorces mais la mère de Joan n'avait rien dit. C'était une femme replète et agréable, elle avait deux autres enfants et elle attendait un bébé.

Joan avait parlé de ce bébé qui allait naître; elle

espérait que ce serait une petite sœur, ayant déjà deux petits frères, « ces bambins ennuyeux », comme elle disait. J'ai dû être secrètement jalouse de sa famille; elle m'avait mise dans un grand embarras en me demandant brutalement : « Quand ta mère va-t-elle avoir un autre bébé? »

Je me souvenais avoir répondu fièrement : « Nous allons avoir une voiture neuve. C'est pour cela que papa et maman sont allés à Londres, au salon de l'automobile. Ils sont allés choisir une voiture neuve. Maman en voudrait une verte. Elle ne croit pas que le vert porte malheur. Elle dit que ce doit être la couleur favorite du bon Dieu puisqu'il a fait tant de choses vertes... » Je retrouvai avec force l'odeur du grand feu et des châtaignes grillées, le crépitement des écorces qui éclataient dans l'âtre, les chamailleries des deux petits garçons au fond de la pièce, penchés sur un train, et Joan et moi, accroupies sur la carpette élimée devant le foyer, rivalisant de fanfaronnades enfantines. Ce fut le lendemain matin, après le petit déjeuner, que j'appris qu'il n'y aurait pas de voiture verte... pas de papa ni de maman pour m'emmener à la maison le soir. Le car s'était retourné avant d'être arrivé au but... « N'y pense plus! Ne réveille pas ce sentiment horrible que tu as oublié... » me dis-je.

Je tournai les coupures comme si elles me brûlaient les doigts, puis mon attention s'arrêta sur des titres que je n'avais encore jamais vus. « L'héritière Merstone l'a échappé belle », « L'orpheline tragique a failli se noyer », « Un nouvel accident dans une écluse désaffectée », « Pourquoi pas de signal de danger? demande lady Cheeseley ».

Je lus les articles, et ce fut un choc... des souvenirs refluèrent, touchant cet accident que j'avais presque oublié. C'était arrivé pendant les vacances scolaires d'été, par une chaude après-midi... tante Clara et quelques amies avaient organisé un pique-nique au bord de la rivière. Alison et la fille aînée de son amie s'entraînaient pour un examen ou un test, pour obtenir l'insigne d'éclaireuse pour la nage et le plongeon, je crois. Trois autres enfants et moi, nous nous contentions de patauger sur les hauts-fonds, tout près de la berge. Alison et son amie s'étaient plaintes de ne pouvoir plonger dans l'eau peu profonde et, après le thé, tante Clara avait suggéré d'aller à l'écluse.

Les autres mères avaient protesté que l'écluse était très profonde et réputée dangereuse en raison d'un fort courant lorsque le niveau était élevé, comme c'était le cas ce jour-là. L'avis de tante Clara avait dû cependant prévaloir et nous étions allées à l'écluse. Alison, toujours téméraire, avait plongé dans ces eaux noires sans fond. Nous étions toutes debout au bord, nous la regardions tandis qu'elle faisait surface et commençait à se hisser en s'aidant d'une échelle en acier apparemment bien fragile. Tante Clara se pencha en avant pour lui donner la main au moment où elle arriva près du bord.

Ce fut à cet instant que l'incident se produisit. Avais-je perdu l'équilibre, comme l'indiquait le reportage, ou bien était-ce le coude de tante Clara qui m'avait heurtée durement dans le dos, me projetant en avant?

Je me souvenais du choc et de la terreur que je ressentis quand je m'enfonçai dans ces profondeurs sombres. Je savais un peu nager, mais un peu seulement. Je n'avais jamais essayé de plonger. J'avais une peur terrible de rester la tête sous l'eau. Je me suis enfoncée comme une pierre et, dans ma panique, j'avalai beaucoup d'eau. Puis plus rien.

Le seul souvenir que j'avais encore : j'étais étendue sur la berge, une femme avait passé son bras autour de moi, je haletais, je tremblais, je me sentais affreusement faible, tandis que tante Clara me sermonnait parce que j'avais été « imprudente... sotte... maladroite ».

Selon l'article de ce journal local, seule, je n'aurais jamais pu atteindre cette échelle d'acier. Je m'étais enfoncée pour la seconde fois quand « ma très jeune cousine, avec un courage et une présence d'esprit remarquables », avait plongé à son tour. Alison avait réussi à me saisir et à me maintenir d'une main, tout en agrippant l'échelle de l'autre main; un ouvrier agricole qui passait en vélo sur le chemin de halage ayant entendu les enfants crier se précipita à la rescousse. Il remonta mon « petit corps flasque » en haut de l'échelle et « pratiqua promptement la respiration artificielle ». Lui et ma « courageuse cousine » m'avaient sauvé la vie.

Un long frisson me secoua. Je ne m'étais pas rendu compte à quel point je l'avais échappé belle. Tante Clara avait fait peu de cas de l'affaire par la suite... du moins en ce qui me concernait et Alison s'était montrée bourrue quand je voulus la remercier :

– Quel bébé tu fais! Tu perds la tête. Si tu ne veux pas apprendre à plonger, ne t'approche pas de l'eau à l'avenir.

Je n'avais jamais dit : « C'est tante Clara qui m'a poussée. » Il ne m'était pas venu à l'esprit qu'elle ait pu provoquer délibérément cet « accident ». C'était bien son coude qui m'avait fait perdre mon équilibre précaire, mais j'avais toujours pensé que ç'avait été le fait du hasard.

Alison en savait davantage. Alison, grimpant le long de l'échelle, devait avoir suivi le déroulement de l'événement. Ce fut sans doute pour cela qu'elle ne reparla plus de l'incident... du moins pas avec moi... Peut-être était-elle encore trop jeune à l'époque pour saisir la véritable signification de ce qu'elle avait surpris. Quel enfant soupçonnerait sa mère d'attenter de sang-froid à la vie d'un autre enfant?

Toutefois, plus tard, Alison a dû se remémorer l'aventure et réfléchir sur ce qui aurait pu être un drame. Sinon, pourquoi se serait-elle procuré tous ces articles de journaux?

Il n'y avait rien d'autre me concernant. Je n'avais rien fait pour intéresser la presse; je découvris pourtant deux pages couvertes de notes écrites de la main d'Alison. J'hésitais. Les lire, c'était une indiscrétion, comme de lire des lettres d'amour adressées à une autre personne. Ces lignes n'avaient pas été rédigées à mon intention. Mais... il était peut-être bon que je sache ce qu'Alison avait jugé utile de noter à mon sujet.

La tentation était irrésistible.

La première page avait pour titre : « L'héritière Merstone? » Pourquoi ce point d'interrogation? Y avait-il un mystère autour de mon capital? Il semblait qu'Alison eût des doutes. Je n'en concevais pas la raison.

Les notes étaient brèves et difficiles à suivre. Ma cousine avait consigné certains faits sans ordre apparent. « F. quitte l'école sans mention. Cours de secrétariat. Pourquoi? » « Toutes les filles devraient apprendre quelque chose... » « Pourquoi, si l'argent de F. est intact...? Quel est le but d'un job sans avenir? Le véritable instigateur? Défalcations? Spéculation? Qui? L.C. doit le savoir. R., le directeur de la banque, n'oserait pas. Keith R. se décide pour F. avec les encouragements de L.C. Visiblement hésitant. Donné un coup de tête, mais n'ai rien pu obtenir de K. Mécontent de servir de couverture à son père? » Keith? pensais-je; Keith Reeding, naturellement, le fils unique du notaire qui était l'un de mes curateurs. Oui, Keith m'avait fait la cour pendant quelque temps. Et, pour une fois, tante Clara n'avait pas fait obstacle. Elle répétait même souvent

l'ignorance. Il avait changé de nom, d'apparence et de profession. Il s'était éloigné du lieu du drame... de trois ou quatre cents miles vers le sud. Il croyait sans doute avoir rompu ainsi tout lien entre lui et la roseraie Maurcheston. Ces actes étaient-ils ceux d'un homme conscient de son innocence ? Tante Clara n'était certainement pas de cet avis. Et Alison ? A quoi pensait-elle en s'arrêtant à Hunter Tor ?

« Peu importe ce que les autres pensent. Moi, je connais Jonathan, je connais sa fierté, sa sensibilité et sa douceur. Je l'aime et je vais être sa femme », me répétais-je.

Même s'il était en partie responsable de la mort de Sibylle ? Même s'il était entièrement responsable de celle de Maria ?

– Oui, aucune importance. Je l'aime... décidais-je à haute voix.

Pour une fois, tante Clara fut en retard pour le petit déjeuner. Quand elle me rejoignit dans la salle à manger, elle avait les yeux fatigués et lourds de quelqu'un qui a lu trop tard, sans trouver de réponse à une question en suspens.

– J'étais loin de penser que les notes d'Alison seraient si volumineuses et couvriraient autant de domaines. Difficile de dire quelles étaient ses préoccupations actuelles. Qu'en penses-tu ? m'interrogea-t-elle sur un ton maussade.

– Je suppose que la présence d'un texte tapé à la machine en fin de dossier signifie que ses recherches sont terminées pour ce qui est de la personne concernée. Quand elle a inscrit « A voir », j'en conclus qu'elle était en train de poursuivre l'enquête, comme dit la police.

J'étais sur mes gardes.

– Tu as peut-être raison, mais je n'ai pas rencontré cette mention dans les dossiers que j'ai examinés. De quoi s'agissait-il ?

J'étais furieuse d'avoir été aussi étourdie. Rien ne me ferait avouer qu'Alison avait apposé cette mention à propos de Jonathan et « Johnny Just ». Me creusant la cervelle, je trouvais un détour :

– J'ai lu un texte qu'elle avait intitulé : « L'insaisissable Quin » et « Les nombreux mariages de M. lord ». Un vicomte Marble. Alison semblait s'intéresser beaucoup à lui et à ses amours. Finalement, il est sur le point de quitter sa troisième épouse.

– Ce play-boy? Ses affaires sont notoires. Un caractère sans valeur et décadent. J'ai peine à croire qu'Alison perdrait son temps avec lui, déclara ma tante d'un air sentencieux.

– Les lords sont des sujets en or, n'est-ce pas? Surtout quand ils sont riches et ne manquent pas d'élégance.

– Elégant? Ce débauché?

– Il a belle allure sur les photos et il a l'air d'avoir de la personnalité. Donc, il y a un mystère dans sa vie actuelle. Et au sujet de son idylle du moment. C'est le seul cas possible que j'aie déniché. J'avais trop sommeil pour lire longtemps.

– Je suis surprise et déçue que tu ne te montres pas plus concernée par le sort de ta cousine. As-tu terminé ton café? Alors, va me chercher tes dossiers.

Ma tante était contrariée. Je montai chercher le classeur « M » pour le lui remettre; me souvenant à cet instant des notes sur « Merstone-Flora », je réfléchis que j'aurais dû les retirer. Mais il était trop tard. Si tante Clara les lisait, elle pourrait en recevoir un choc désagréable.

Peut-être n'était-il pas mauvais que tante Clara eût vent des soupçons de sa fille. Au cas où elle aurait formé un projet contre moi, ces commentaires écrits pourraient la faire hésiter. Elle penserait bien que je les avais lus et se demanderait...

J'abandonnai tante Clara à la lecture des chroniques sur l'« insaisissable Quin »; elle semblait fort intéressée, même si elle lançait de temps en temps quelque remarque désobligeante sur « ce public qui aime le scandale ». Je me dirigeai vers le téléphone. Dès que je me fus nommée, je fus mise en communication avec Bertram Reeding. Il parut sincèrement heureux d'avoir de mes nouvelles et nous prîmes rendez-vous pour 11 heures, à son bureau. Ou bien il était bon acteur ou bien il n'avait rien à dissimuler. A moins, bien sûr, qu'il ne me prît pour une petite idiote toute confiante, bien contente qu'il voulût bien s'occuper de ses affaires...

A ma grande honte, il me fallait d'ailleurs avouer qu'il y avait seulement quelques semaines avant la disparition d'Alison et avant ma rencontre avec Jonathan, jamais je n'aurais mis en doute une information qui m'aurait été communiquée par les cotuteurs. Si l'on m'avait assuré avec regret que mon capital avait considérablement diminué, aurais-je seulement demandé comment et pourquoi? Aurais-je insisté pour connaître exactement le montant restant? Certainement pas. Cette phobie de « l'argent compensateur » m'avait sans cesse poursuivie; une rancœur longuement nourrie. L'idée ne m'aurait pas effleurée que mes curateurs aient pu utiliser cet argent dans des spéculations irréfléchies. Si on m'en avait avertie franchement, m'en serais-je seulement souciée?

J'aurais sans doute tenu le raisonnement suivant : « Une bonne chose! Si je ne vaux plus rien pour tante Clara, elle me laissera partir. »

A présent, c'était différent. Il se pouvait que la disparition de ma fortune soulageât Jonathan; mais moi, je ne voulais pas aller à lui comme une épave sans le sou, totalement dépendante de lui pour tous mes besoins. Ce serait humiliant.

13

– En effet, il serait bon que vous fassiez un testament, ma chère, mais sans doute n'y a-t-il pas urgence?

Tandis qu'il parlait, Mr Reeding me regardait d'un air perplexe à travers ses lunettes démodées à monture d'or.

J'avais toujours pensé à lui comme à un homme « d'âge moyen ». Or, je m'apercevais avec un léger choc qu'il avait depuis longtemps dépassé cet âge moyen. Il était vieux. Ses quelques mèches de cheveux arrangées avec soin étaient blanches comme neige et ne recouvraient que partiellement son crâne brillant; ses mains noueuses tachetées de brun tremblaient nettement.

Je me souvenais vaguement avoir entendu Alison dire qu'il avait courtisé tante Clara sans succès pendant des années et qu'il s'était marié sur le tard; il avait épousé une ancienne secrétaire beaucoup plus jeune que lui. Keith était leur fils unique. En tout cas, à l'heure actuelle, Bertram Reeding était peut-être le complice de tante Clara, certainement pas son amant. Il était trop âgé.

– Il y a urgence, étant donné que je vais me marier.

– Ah! vraiment? Mes félicitations. Il faut alors que je vous avertisse que ce mariage annulerait tout testament antérieur; il serait donc préférable d'attendre que le mariage ait eu lieu.

– Je ne peux pas me permettre d'attendre. Il peut m'arriver quelque chose... Il y a tant d'accidents de la route de nos jours... on peut être tué en traversant une rue. J'aimerais que vous preniez note de mon testament ici, tout de suite, Mr Reeding. Ce ne sera pas long. Je désire laisser « tout ce que je posséderai à ma mort » – c'est bien la formule, n'est-ce pas? – à Jonathan March, Hunter Tor, Devon.

Dès mes premiers mots, le notaire avait haussé ses sourcils blancs broussailleux, de sorte que j'avais achevé ma phrase à vive allure.

– Tout? Chère petite! Ce serait d'une générosité extravagante. Vous souhaitez certainement réserver une part à votre bonne tante et à votre cousine?

– Non. Ma cousine a une excellente situation et n'attend rien de moi. Quant à ma tante, elle a fait largement usage de mon capital pendant toutes ces années. Je n'ai pas l'impression de lui devoir quoi que ce soit.

– Pas même un témoignage de reconnaissance pour tous les soins et l'affection que vous avez reçus? Il est normal de se souvenir de sa famille. Puis-je vous demander si c'est votre futur mari qui a suggéré cette... cette procédure?

– Non. Il m'a conseillé de léguer ma fortune à des œuvres de charité. Cela ne l'intéresse pas. C'est moi qui en ai décidé ainsi. Si vous voulez noter, Mr Reeding, j'attendrais que le document soit prêt pour le signer sans tarder.

Il n'aimait pas du tout cela. Ce n'était pas son genre de faire quelque chose « sans tarder ». En outre, il m'apparut clairement qu'il pensait que j'étais bien ingrate et dure d'exclure « ma famille » de mon testament; pour lui, c'était légèreté de ma part que de m'abandonner entièrement à mon futur époux.

– Cet homme que vous allez épouser... Une idylle un peu soudaine, n'est-ce pas? Me serait-il possible de le rencontrer, peut-être? Vous savez sans doute que vos curateurs conserveront la gestion de votre capital jusqu'à votre vingt-cinquième année, à moins qu'ils n'approuvent votre mariage? Je ne peux guère exécuter les termes du fidéicommis sans connaître l'homme de votre choix.

– Tout cela n'a rien à voir à l'affaire. Jonathan March est fermier, c'est actuellement la pleine saison de l'agnelage, elle intervient plus tard à Dartmoor. Il ne peut pas s'absenter pour le moment. Je ne vous demande pas d'approuver mon engagement, Mr Reeding, mais simplement de noter mes dispositions testamentaires.

Il continua à murmurer et à marmonner : « Une décision aussi sérieuse, qui a tant d'implications, ne devrait pas être prise à la légère. Laisser tout son bien à un étranger pour ainsi dire, tout en ignorant les droits de la famille, voilà qui indiquerait un engouement subi et violent qui peut – ou ne peut pas – aboutir à un mariage satisfaisant. » Il ajouta affectueusement que j'étais bien jeune et inexpérimentée. Je n'étais probablement pas entièrement consciente de tout ce que je devais à ma tante qui, par ailleurs, avait si bien su gérer mon capital.

– Non, en effet, je ne suis au courant de rien sur ce point. Elle a spéculé avec mon argent?

– Spéculé? (Il leva ses mains tremblantes et tachetées, tant le mot semblait lui faire horreur.) Certainement pas! Ni Mr Grant ni moi-même n'aurions consenti à quelque spéculation que ce fût. Un tel procédé irait contre la réputation de sagesse de notre étude. Nous avons toujours conseillé à nos clients d'investir dans des affaires saines; une politique avec laquelle Mr Grant est totalement d'accord.

– Alors, que voulez-vous dire? demandai-je avec impatience.

– Simplement ceci : pour ce qui est des finances, votre chère tante a du génie, à moins qu'elle n'ait accès à des informations que nous n'avons pas. En tout cas, il semble qu'elle sache exactement le moment où il faut acheter certaines actions et celui où il faut en vendre d'autres. C'est en grande partie grâce à sa finesse si votre capital s'est accru avec une telle rapidité.

– Ah? Le capital s'est accru?

La surprise me fit presque sursauter.

– Vous avez l'air étonnée.

– En effet. J'avais plutôt l'impression qu'il avait sérieusement diminué.

– Mais non! Au contraire. Il y a toujours des hauts et des bas en bourse, et malheureusement, au cours de ces dernières semaines, de nombreuses valeurs saines ont touché le fond; mais je suis certain que cette situation va se redresser. Quand on sait qu'une société est fondamentalement saine, on peut se permettre de fermer les yeux sur quelques fluctuations.

Pourquoi fallait-il qu'il tournât tant autour du pot?

– Oui? Donc, en gros, Mr Reeding, quelle est ma valeur?

– En tenant compte de la baisse sévère actuelle, votre avoir doit se monter à environ 100 000 livres. Si le marché se redresse, la somme sera beaucoup plus élevée.

– Ciel! Autant que cela?

– Au bas mot, oui. Vous êtes à même d'apprécier si vous êtes une fiancée hautement avantageuse. C'est ce qui nous impose à nous, vos curateurs, de prendre toutes les précautions possibles pour sauvegarder vos intérêts.

Je ne comptais pas lui expliquer que ce n'était pas mes intérêts financiers qui avaient besoin d'être sauvegardés, mais ma vie. Il ne m'aurait pas crue. Il m'aurait prise pour une hystérique ou une déséquilibrée. Il n'aurait pas cru non plus que tante Clara avait utilisé sa finesse ou ses « informations secrètes » à son propre bénéfice et à celui de sa fille plutôt qu'au mien.

Rien d'étonnant donc que tante Clara ait délibérément réduit à néant mes velléités amoureuses. Rien d'étonnant à ce qu'elle s'oppose si férocement à mon mariage avec Jonathan ou avec quiconque! Etant donné sa passion de l'argent, comment pourrait-elle s'effacer et abandonner ma fortune? Surtout si, comme Mr Reeding me l'avait assuré, elle était la principale responsable de son accroissement!

« Des gens apparemment sains, des gens ordinaires, ont commis des meurtres pour beaucoup moins », pensai-je. Dans ces conditions, il était à peine surprenant que tante Clara ait ruminé ces « accidents mortels ».

Aussi calmement que je pus, je déclarai :

– Je pourrai toujours faire un autre testament après mon mariage; peut-être alors laisserai-je quelque chose à ma tante et à ma cousine. Pour le moment, je désire léguer la totalité à Jonathan March.

– Si vous me permettez de vous donner un conseil, ma chère petite, vous devriez reconsidérer cette idée.

– Non, je ne peux pas. Si vous refusez, je ferai appel à l'un de vos confrères. Il y a d'autres notaires dans cette ville.

Comme je l'escomptais, cela le secoua. Il afficha un air réprobateur et offensé et renouvela ses admonestations et protestations. J'écoutais à peine. Comme il faisait une pause pour reprendre haleine, j'en profitai pour annoncer d'un ton péremptoire :

– Je vous fais perdre votre temps et je perds le mien. Vous ne me ferez pas changer d'avis.

Là-dessus, il lança un regard insistant à l'horloge ancienne, observant qu'il avait un autre rendez-vous à midi. Ainsi, me priant de l'excuser, il me remettait entre les mains de Keith qui prendrait mes « instructions ». J'acquiesçai avec soulagement. Je pensais qu'il me serait plus facile de parler à Keith qui était plus proche de moi par l'âge.

Dans un sens, ce fut effectivement plus facile, mais ce fut d'autant plus déconcertant. Keith avait à peine dépassé la trentaine, et il n'avait pas encore acquis cette circonspection et ces réticences de mise chez les hommes de loi.

Derrière son bureau beaucoup plus petit, dans son cabinet également plus exigu, Keith me dit de but en blanc :

– Flora, n'êtes-vous pas en train de faire une sottise? Je veux dire, c'est une chose de monter comme une soupe au lait et de s'enflammer pour un être mystérieux, peut-être pervers. Cela peut arriver à n'importe quelle jeune fille sans expérience. Mais faire un testament en sa faveur, c'est autre chose. C'est prendre bien des risques dans le seul but de se venger.

Ce fut comme s'il m'avait enfoncée la règle, avec laquelle il jouait en parlant, entre les côtes.

– Un être mystérieux, peut-être pervers?

– Oui. Je cite lady Cheeseley, bien sûr. Mais c'est un vieil oiseau joliment finaud; vous devriez le savoir.

– Mais... comment cela? Comment savez-vous ce qu'elle pense de Jonathan?

– Elle a appelé, juste avant que vous n'arriviez, très inquiète à votre sujet à cause de cette « nouvelle implication émotive », comme elle dit. J'ai compris qu'elle avait mis un enquêteur privé aux trousses du gars. Ne pensez-vous pas que vous devriez vous abstenir jusqu'à ce que vous entendiez parler des conclusions des recherches?

Je me mordis les lèvres. Comment tante Clara avait-elle appris que je me rendais chez Bertram Reeding ce matin? Cook avait-elle écouté ma conversation? Pour la répéter à ma tante? Ou était-ce une intuition de tante Clara?

Keith me considérait avec un mélange de sympathie et d'appréhension.

– Y a-t-il vraiment urgence? Vous pourriez changer d'avis quand vous en saurez davantage sur ce garçon. Pourquoi vous faire du souci et dépenser de l'argent pour un testament en sa faveur, pour le regretter dans quelques jours?

Je fis un effort pour réprimer la colère qui montait en moi.

– Ce n'est pas mon genre. Une nouvelle implication émotive? C'est la première fois.

– Est-ce ainsi que vous voyez la chose maintenant? Ce n'est pas ce que pense votre tante. Selon elle, vous êtes sujette à ces fantaisies soudaines et imprévisibles... qui ne durent jamais longtemps.

Keith avait l'air sceptique, mais non déconcerté. Je poursuivis:

– C'est absolument faux. Je n'ai jamais été amoureuse avant. Je suis engagée avec Jonathan March et je vais l'épouser dès que possible et quoi que ma tante dise ou fasse.

– S'il est disponible. Il semble qu'il y ait quelque doute là-dessous.

– Seulement dans l'imagination fertile de ma tante. Jonathan a été marié il y a plusieurs années, mais sa femme est morte. J'en sais tout de même plus que ma tante sur ce point.

– Vraiment?

– Oui. Ne parlons plus de cela. Vous chargez-vous de mon testament ou dois-je faire appel à l'un de vos confrères?

– J'ai reçu pour instructions de noter vos desiderata, me répondit-il évasivement.

– Désolée, mais ce n'est pas suffisant. Je désire signer le document immédiatement.

– Ce n'est pas notre manière de travailler. Mon cher papa tient à l'établissement préalable d'un projet et ensuite le document prend sa forme définitive dans le bon vieux style. Le processus va s'étirer sur plusieurs jours...

— Je ne peux pas attendre. Il peut toujours arriver quelque chose.

— Par exemple?

— Vous ne me croiriez pas! Ma tante a hypnotisé tout le monde. A moins qu'elle ne me poignarde sous vos yeux, la croiriez-vous jamais capable de lever un doigt contre moi? Vous n'avez aucune idée de sa mentalité ni de l'importance qu'elle attache à l'argent.

Son expression mi-amusée mi-sceptique changea brusquement. Il fronça les lèvres en un sifflement silencieux.

— Mon Dieu! Vous êtes donc sérieuse! lança-t-il avec un étonnement non dissimulé. Votre tante donnait à entendre que vous étiez affligée de cette étrange manie de la persécution mais je pensais qu'elle exagérait. Vous m'aviez toujours paru normale, bien qu'un peu immature.

— Je savais bien que vous ne me croiriez pas. Il va falloir que je trouve quelqu'un... qui n'a jamais rencontré tante Clara.

— N'en faites rien! Il est de notoriété publique que nous nous occupons de vos affaires et de celles de votre tante. Vous ne trouverez pas aussi facilement une autre étude pour reprendre l'un de nos clients : cela ne se fait pas, tout simplement. Cela va contre les usages de notre profession. De même qu'il faut des raisons valables pour changer de médecin.

— Le fait que je soupçonne ma tante de chercher à m'éliminer ne serait pas considéré comme « valable »?

— Loin de là. Cela serait plutôt de nature à convaincre les gens que vous n'êtes pas tout à fait bien et qu'il vaut mieux vous laisser en paix.

— C'est infernal! Que faut-il donc que je fasse? Si

je mourais cette nuit, tout ce que je possède irait à tante Clara... et tout le monde penserait qu'elle l'a bien mérité. Personne, à part Jonathan, ne songerait un instant qu'elle ait pu me faire avaler une dose mortelle de somnifère ou de quelque chose de ce genre. Et Jonathan ne serait jamais capable de le prouver. Elle est bien trop fine. On parlerait d'un accident regrettable... ou d'un suicide, dans le cas où elle convaincrait assez de gens que j'étais une déséquilibrée.

J'aurais été une bombe à retardement que Keith ne m'aurait pas regardée autrement.

— Pas si fort! Inutile de vous monter la tête, petite sotte! Je ne peux pas aller contre mon père, toujours très respectueux des désirs de lady Cheeseley. Mais vous n'avez pas besoin d'un notaire pour faire votre testament.

— Comment cela?

— Acheter une formule dans une librairie, remplissez-la et trouvez deux personnes – non bénéficiaires – pour certifier votre signature. Si cela peut vous tranquilliser, pourquoi ne pas essayer de le faire?

— Serait-ce légal?

— Mais oui! Absolument. Pourvu que le document soit dûment signé et certifié. Ne dites pas que c'est moi qui vous ai donné ce conseil, je pourrais avoir des ennuis. En attendant, je vais faire un projet, selon les instructions. Quel est le nom du type et son adresse?

Je lui donnai toutes les indications qu'il nota soigneusement. L'expression de son visage m'amusait. On aurait dit un homme qui venait d'éviter une explosion de justesse. Pourtant, il n'y avait pas si longtemps, il me poursuivait de ses assiduités. Je me demandais s'il se félicitait secrètement d'avoir trouvé cette échappatoire... comme je le faisais moi-même.

C'était un homme agréable, assez bien de sa personne, avec des cheveux blonds et des yeux noisette; à une certaine époque, je l'avais trouvé plutôt séduisant, avant qu'Alison n'intervînt. Je ne dis pas que je ne me serais pas fiancée à lui. Mais alors, je n'aurais jamais connu cette grande joie et cette immense tendresse que Jonathan avait suscitées en moi, ni ce sentiment de sécurité que j'éprouvais à me sentir aimée et désirée.

Je suppose que Keith avait été attiré par mon argent et par ma parenté avec lady Cheeseley. Il ne me connaissait guère et ne se souciait pas tellement de moi; autrement, il n'aurait pas adopté aussi promptement le jugement de tante Clara selon lequel j'étais une dingue! Non que ma tante ait jamais employé ce terme aussi cru : elle a dû parler d'hystérie, de névrose, et se déclarer profondément inquiète à mon sujet.

Depuis longtemps déjà, je m'étais aperçue que tante Clara avait l'art et la manière de convaincre. Si Alison fabriquait ses « nouvelles à sensation » en mettant en œuvre l'audace et l'entêtement, c'était le calme de tante Clara, la modération calculée de ses propos, sa certitude d'avoir raison, qui entraînaient ses interlocuteurs à sa suite. Excepté Jonathan cependant, pensais-je avec reconnaissance. Jonathan avait fait front dès le début, il n'avait pas accepté son jugement sur moi, il m'avait jugée différemment. Pourtant, lui aussi était vulnérable, avec sa susceptibilité et son passé malheureux. Si l'enquêteur privé de tante Clara réussissait à mettre en lumière le passé de Jonathan, elle n'hésiterait pas à en faire usage contre lui. Cela aurait du poids aux yeux de Mr Reeding et probablement aussi pour le cotuteur, Mr Grant. Ils considéreraient alors qu'ils auraient de bonnes raisons pour refuser leur consentement à mon mariage. Poussés par tante Clara, ils pourraient essayer de faire pression.

Jonathan m'aimait-il suffisamment pour y résister?

Je n'aurais pas dû revenir ici. J'aurais dû rester à Hunter Tor. Jonathan aurait ainsi été obligé de faire les démarches pour obtenir cette dispense de bans. A l'heure actuelle, occupé comme il l'était et sans ma présence pour lui rappeler notre amour et le besoin que nous avions l'un de l'autre, il se pouvait qu'il ajournât sa demande. Il doutait peut-être. Après deux drames, il était prudent...

Keith reprit la parole, parodiant le ton professionnel de son père :

– Nous vous aviserons le moment venu. (Puis il se leva et se dirigea vers la porte à pas lents, comme s'il n'était pas tout à fait sûr d'avoir désamorcé la bombe.) Hum... prenez soin de vous et ne vous inquiétez pas. On vient toujours à bout des moments difficiles.

– Je n'ai pas l'intention de laisser tomber Jonathan March, si c'est ce que vous voulez dire. Je vais l'épouser!

– Eh bien, dans ce cas, soyez heureuse!

– Merci, Keith.

Je réussis à lui sourire, mais mes genoux tremblaient quand je me retrouvai dans la rue. Aucune aide à attendre de Keith ni de son père. Si je mourrais cette nuit d'une dose mortelle de somnifère, ils n'en seraient même pas surpris...

Au moins, Keith m'avait donné un bon tuyau. M'armant de courage, je me rendis dans la plus grande librairie de la ville. Je m'imaginais que la jeune vendeuse me regardait curieusement mais, après avoir consulté une femme plus âgée, elle me sortit l'une de ces formules imprimées dont Keith m'avait parlé.

J'achetai aussi un bon stylo et du papier à lettres. Il était alors plus de midi et demi, et tante Clara déjeunait invariablement à 1 heure précise. Elle serait seule aujourd'hui. Il fallait que j'achève ma mission avant de l'affronter à nouveau. Elle possédait ce don étrange de prévoir chacun de mes mouvements. Son œil, aussi pénétrant qu'un rayon X, serait bien capable de détecter la formule de testament que j'avais mise dans mon sac.

J'entrai dans un café animé. Ayant trouvé une table libre, je commandai des toasts et un café. Je n'avais pas faim, mais je me forçai malgré tout à manger les toasts.

Je me concentrai ensuite sur la formule. C'était très simple. J'inscrivis les détails d'une main ferme, lentement, soigneusement, afin que même la personne la plus réticente à mon égard ne puisse prétendre que mon écriture trahissait des signes d'agitation ou de « perturbation mentale ».

Maintenant, il fallait trouver des témoins convenables. Deux de ces serveuses? Elles paraissaient très jeunes. Peut-être fallait-il qu'un témoin ait plus de vingt et un ans. Dans le doute, je décidai de ne pas prendre de risques. Rassemblant mon courage, je m'approchai de deux femmes d'âge moyen attablées de l'autre côté de la salle devant une tasse de thé et fumant une cigarette. Je m'appliquai à rester calme en leur adressant la parole :

– Je vous prie de m'excuser, mesdames. Auriez-vous l'amabilité de certifier mon testament?

– Votre testament? (La plus forte des deux femmes me considéra avec des yeux ronds.) Mais... je ne sais pas; mon cher époux me mettait toujours en garde avant de donner ma signature.

– Je ne vous demande que de certifier ma signature, dis-je en souriant avec assurance; voyez-vous, je viens d'apprendre que j'étais en possession de quelque argent et je veux être certaine qu'il ira à la bonne personne au cas où il m'arriverait quelque chose. Il y a tant d'accidents de nos jours. On peut être renversé en traversant une rue.

L'autre femme, plus mince et aux traits plus aigus, abonda dans mon sens :

– C'est bien vrai. Moi-même, ce matin, il s'en est fallu de peu; c'était un motocycliste qui roulait à toute allure et j'ai failli faire un vol plané.

– Si vous voulez faire votre testament, vous devriez aller voir un homme de loi; c'est ce que j'ai fait quand mon mari est mort, me dit la femme replète.

– Oui! C'est ce que je ferai, mais plus tard. Pour l'instant, il ne s'agit que d'une simple précaution temporaire. Il faut tellement de temps aux hommes de loi pour rédiger le document le plus simple!

– C'est vrai aussi et les frais qu'ils facturent, c'est honteux! Je vais signer, si vous permettez que je lise ce que vous avez écrit. Je me fais une obligation de ne jamais signer quelque chose que je n'ai pas lu.

– Vous avez entièrement raison. Je vous en prie. C'est tout à fait simple. Je vais me marier bientôt et je laisse tout à mon fiancé.

Je posai la formule devant elle, et elle la lut scrupuleusement.

– Oui, c'est clair. Allons, Martha! Nous pouvons rendre ce service à cette jeune dame. Cela ne nous engage à rien.

– Vous en êtes sûre? Dans ce cas, d'accord! Si je trouve mes lunettes...

La femme replète fouilla dans un vaste sac bourré et en sortit un étui en cuir usé. Elle en retira ses lunettes avec grand soin, les nettoya ensuite avec sa serviette en papier.

Je fus gênée en m'apercevant que les femmes des tables voisines m'observaient curieusement. Elles s'imaginaient sans doute que j'étais en train de faire signer une pétition. Quelle importance? Je signai mon nom d'un beau trait de plume provocant et passai le stylo à la femme mince. Elle inscrivit son nom et son adresse, d'une écriture soigneuse et précise; puis elle poussa la formule vers la grosse Martha.

Martha écrivait très lentement, d'une manière enfantine, le bout de la langue entre les lèvres...

– Je vous remercie toutes deux, dis-je avec chaleur.

Je regagnai ma table et commandai une autre tasse de café, un prétexte pour m'attarder un peu. Je marquai le nom et l'adresse de Jonathan sur l'enveloppe oblongue que j'avais achetée en même temps que la formule. Puis j'essayai de rédiger une lettre convenable. A ma surprise, j'eus du mal à trouver mes mots; je ne voulais pas avoir l'air de lui reprocher de m'avoir renvoyée au Vieux Presbytère avec ma tante. Je fis plusieurs essais. Finalement, voyant que la salle se vidait et que les serveuses nettoyaient les tables avec leur chiffon humide, je relatai brièvement la découverte de la Mini d'Alison, ajoutant que nous avions fait un « bon voyage ».

« Si je peux dire que quelque chose soit " bon " quand je suis loin de toi. J'ai hâte de retourner à Hunter Tor. J'espère que la dispense va arriver rapidement... » Je ne pus m'empêcher d'écrire ces mots. Devais-je mentionner les dossiers d'Alison? Non. Il me serait plus facile d'expliquer de vive voix ce que je savais au sujet de Maria et de persuader Jonathan que, quoi qu'il ait pu se produire, rien n'altérait mes sentiments... « J'ai eu ce matin une entrevue avec Bertram Reeding, le notaire, l'un de mes curateurs. C'est désespérant. Il est totalement sous l'influence de ma tante et il pense évidemment que c'est à elle que revient ce que je possède. Si je prenais mes dispositions en ce sens, honnêtement, ce serait signer mon arrêt de mort. Tu vas lever les sourcils, mais je sais l'importance qu'elle attache à l'argent et je sais aussi qu'elle n'a jamais eu aucune affection pour moi. Par précaution, j'ai fait le testament ci-joint, parfaitement légal. S'il m'arrivait quelque chose, je t'en prie, je t'en prie, souviens-toi que je ne souffrirais pas qu'un autre que toi puisse bénéficier de ce maudit argent " compensatoire ". Souviens-toi aussi que je ne prends jamais de somnifère. Jamais. Et que rien ne saurait me pousser à me tuer maintenant, puisque je t'ai trouvé et que je t'aime de tout mon cœur... et t'aimerai aussi longtemps que je vivrai.

Ne doute pas de moi, Jonathan. Tu as tout mon cœur, maintenant et toujours,

Flora. »

Etait-ce trop sentimental? Peut-être même « névrosé ». Mais... pourquoi lui cacher ce que je ressens? S'il ne voulait pas de mon amour, s'il commençait à le considérer comme un fardeau, c'était à lui de me le dire.

La serveuse s'avança pour prendre ma tasse vide et me demander sur le ton de quelqu'un qui a été suffisamment patient :

– Voulez-vous autre chose, miss?

– Non merci. J'ai terminé. Je m'en vais.

Je pliai ma lettre en hâte et la glissai dans l'enveloppe. Il me restait quelques timbres tout froissés. J'écrivais si rarement... Je collai le timbre et cachetai l'enveloppe.

Après avoir payé mon addition et laissé un bon pourboire à la serveuse, je me rendis directement au bureau de poste principal. Ce fut avec un profond soulagement que je glissai l'enveloppe dans la boîte. Si Jonathan ne recevait pas ma lettre demain, il l'aurait certainement le jour suivant et alors...

14

– Je t'ai attendue une demi-heure... Les côtelettes ont été gâchées. Vraiment, Flora, tu aurais pu me passer un coup de fil pour prévenir que tu ne rentrais pas déjeuner. Toujours aussi écervelée.

Tante Clara avait son expression froide. Comme il fallait s'y attendre, elle ne parla pas de ma visite à Bertram Reeding, mais se répandit en reproches sur mon manque d'égards vis-à-vis d'elle. Je me contentai de répondre :

– Je suis désolée. Je suis allée à Woking et je me suis attardée.

– Si j'avais su que tu sortais, je serais partie avec toi. N'as-tu pas pensé que nous aurions des courses à faire pour la maison après notre absence prolongée ?

– Je n'y ai pas songé. Et tu étais plongée dans ces dossiers...

– Ces dossiers... oui. Je suis frappée de voir la somme de travail qu'a dû fournir ta cousine... Qu'elle soit obligée de s'occuper de tous ces types déplaisants et douteux ! Ce n'est pas une vie pour une jeune fille ravissante comme elle.

– C'est elle qui a choisi. Rien ne la contraignait à choisir le journalisme... ni ce genre spécial. C'est qu'elle prend plaisir à disséquer les gens et à découvrir leurs affaires privées.

– Ridicule ! Ce n'est que par nécessité financière. Si son père avait été plus prévoyant – comme c'était son devoir – elle n'aurait pas eu besoin de travailler.

– Je ne vois pas Alison faisant du tricot à la maison.

– Elle aurait passé quelque temps à Londres, elle se serait mariée jeune et bien.

– Elle aurait pu se marier à n'importe quel moment, si elle l'avait voulu; je crois qu'elle avait surtout besoin de se faire un nom. Il n'y a pas à s'apitoyer sur son sort. Elle est heureuse de la vie qu'elle s'est faite. As-tu appelé sa directrice?

– Oui... mais il m'a semblé qu'elle était volontairement évasive. Elle pensait qu'Alison était à l'étranger, pour une espèce de mission secrète. Elle m'a assuré qu'elle aurait des nouvelles avant longtemps. Très mystérieux et décevant.

– Eh bien, c'est toujours un soulagement de savoir qu'Alison va bien. A-t-elle envoyé d'autres articles?

– Il semble. Le plus récent est arrivé par avion, des Antilles, à en croire la directrice. Qu'est-ce qui a bien pu pousser Alison à partir là-bas? Et... sans m'en dire un mot?

– Un yacht, peut-être... nous l'avons déjà supposé. Ou bien elle aura eu une interview à faire et elle aura pris quelques vacances ensuite.

– Sans me le faire savoir? Oh non! C'est absolument incroyable.

– Des lettres ont pu être égarées ou retardées.

Elle repoussa cette hypothèse avec dédain. Je pris à nouveau conscience de la sympathie que j'éprouvais malgré moi pour tante Clara. Quels qu'aient été ses motifs, Alison n'aurait pas laissé sa mère dans l'angoisse. Elle aurait écrit. Pourquoi ne l'avait-elle pas fait? Parce qu'elle ne voulait pas risquer de voir ses projets contrariés? Parce qu'elle craignait que sa mère ne vînt la rejoindre... pour la dissuader?

Il devait y avoir une explication romanesque, pensais-je encore une fois. Quelque chose me disait qu'Alison était liée à un homme que sa mère considérerait comme « indésirable »; supposons par exemple qu'Alison soit tombée amoureuse de ce « lord M. » qui s'était si souvent marié? Tante Clara serait furieuse et en frissonnerait jusqu'à la moelle.

La voix amère de tante Clara me rappela à la réalité.

– L'argent! C'est le manque d'argent qui est la véritable racine de tout le mal; c'est l'argent qui est responsable de la plupart des violences et des angoisses de ce monde.

– Je penserais plutôt que c'est la cupidité... qui donne trop d'importance aux affaires d'argent...

Tante Clara me coupa brutalement la parole :

– Que sais-tu de cela? Tu n'as jamais manqué de rien dans ta vie.

« Sauf d'amour... et de ce sentiment que quelqu'un avait besoin de moi » pensai-je; mais je n'étais pas disposée à discuter. Je me contentai de dire :

– Veux-tu que je te conduise dans les magasins, tante Clara?

Elle acquiesça d'un bref signe de tête.

Je pouvais me permettre d'être magnanime. Après tout, en dépit de son coup de téléphone à Bertram Reeding, c'était moi qui l'avais eue. Ma lettre et le testament rappelleraient à Jonathan que j'étais tout à fait sérieuse quant à notre avenir. Il écrirait ou téléphonerait ou viendrait me chercher. Il ne me laisserait pas ici, à la merci de ma tante. Même s'il pensait que mes craintes étaient exagérées, il comprendrait pourquoi je ne pouvais pas demeurer dans cette maison.

Je regrettais de ne pas avoir envoyé à Jonathan les notes d'Alison me concernant. L'inquiétude évidente d'Alison à mon égard l'aurait convaincu que je n'étais pas en train de dramatiser la situation. Même Keith en aurait été impressionné. Il n'aurait pas suspecté Alison d'être « névrosée », ou trop imaginative.

Toutefois, Alison s'était trompée quand elle avait conclu que sa mère avait dilapidé mon capital; il semblait qu'Alison n'ait pas perçu le fil conducteur. Moi non plus, jusqu'à cet après-midi. Je compris alors que c'était son amour possessif et fanatique pour sa fille qui fut à l'origine du ressentiment de ma tante à mon égard. Elle croyait vraiment que, si elle avait été plus fortunée, elle aurait pu garder Alison auprès d'elle. Ou bien elle était aveugle et ne reconnaissait pas l'ambition puissante qui animait sa fille ou bien elle s'abusait elle-même. J'étais de plus en plus persuadée qu'elle avait perdu Alison presque aussi définitivement que si Alison avait été assassinée. Alison n'avait jamais tremblé. Si elle avait décidé d'épouser... « l'insaisissable Quin » ou « Johnny Just » ou quiconque, elle foncerait; sans doute espérait-elle que sa mère s'inclinerait devant le fait accompli, mais elle ne tiendrait pas compte de son refus. Ce furent probablement cette conviction et la prémonition du choc qui attendait tante Clara qui me disposèrent à lui être agréable et à passer la soirée à parcourir quelques-uns de ces méchants dossiers; nous cherchions en particulier des références aux Antilles.

Heureusement, certains dossiers étaient minces. D'autres étaient bourrés de coupures de presse et de notes. J'admirai le travail minutieux d'Alison, bien que déplorant qu'elle ait remué tant de boue.

Sur l'insistance de tante Clara, nous reprîmes notre exploration, jusque-là sans résultat, après le dîner. Je n'étais pas accoutumée à me concentrer aussi longtemps. Pour une fois, je fus heureuse quand Cook nous apporta deux verres de ce breuvage que tante Clara aimait bien. C'était un cocktail de lait malté, de cacao et de miel; je le trouvais écœurant mais tante Clara croyait fermement en son efficacité.

Cook se retira et tante Clara me dit alors avec sollicitude :

– Que c'est bon d'être chez soi, avec son petit confort. Ne laissons pas traîner ces papiers sur la table. Si tu as terminé, va les remettre à leur place... avec ceux-là.

Elle me remit ceux qu'elle avait éliminés et je montai le tout bien sagement. Quand je redescendis, ma tante avait bu la moitié de son breuvage. J'avalai le mien rapidement, pour éviter toute remarque. C'était encore plus douceâtre que je ne pensais. Sans doute le mélange avait-il été mal fait. Il y avait un dépôt assez important au fond du verre.

Je n'étais pas encore arrivée dans ma chambre que je me sentais déjà mal. Pourquoi avais-je donc toujours peur de déplaire à ma tante? Pourquoi étais-je incapable de m'assumer moi-même? Même si elle trouvait délicieuse cette décoction écœurante, était-ce une raison pour que j'en boive aussi? Demain soir, je refuserai franchement...

Je dus me précipiter dans la salle de bains. Penchée au-dessus du lavabo, j'avais des hauts-le-cœur, mais je n'étais pas vraiment malade. Je vomis seulement un peu de liquide amer. Je bus un verre d'eau froide pour dissiper ce goût horrible dans ma bouche.

Je me sentis très faible tout à coup, il me fallut faire un effort immense pour me déshabiller. Mes membres étaient atrocement lourds et mes tempes battaient bizarrement. Je dus me coucher avec une lenteur extrême, avec des gestes hésitants, comme ceux d'un ivrogne. Je ne me souvenais pas avoir eu peur. C'est à peine si j'eus le temps de réaliser que quelque chose allait mal. Je dus perdre connaissance presque tout de suite... me laissant glisser dans l'inconscience doucement et non sans plaisir... Je ne me souvenais absolument pas avoir été appelée pour le thé du matin, ni que Cook m'ait secouée, ni de sa panique. Elle dut penser que j'étais morte.

Dans son agitation, elle avait renversé la théière... mais je ne sentis même pas le liquide brûlant qui imprégnait le drap.

Ce furent une voix d'homme et une main ferme encerclant mon poignet qui pénétrèrent tout d'abord mon coma. Jonathan... pensai-je confusément... Jonathan... Je fis un effort pour l'appeler, mais je ne pouvais pas parler... ni ouvrir les yeux ni lever la main. Je me sentais amorphe, comme lorsque j'avais eu ma pneumonie. En train de mourir? Je ne m'en étais pas beaucoup souciée avant... mais, maintenant, c'était autre chose. Je voulais vivre. Je voulais épouser Jonathan.

— Elle a toujours été névrotique, le Dr Bowden-Sawyer le sait. Renfermée, très tendue... crise de nerfs à la moindre excitation... J'avais bien vu qu'elle était déprimée, mais je n'ai été vraiment inquiète que quand nous nous sommes aperçues qu'il était impossible de la réveiller... C'est à ce moment-là que j'ai découvert que mon tube de somnifère était presque vide...

C'était la voix de tante Clara, mais elle me parut venir de très loin.

— Je voudrais voir le tube...

— Le voici. Une prescription du Dr Bowden-Sawyer. Il m'a assuré que les comprimés étaient inoffensifs et sans risque d'accoutumance... mais, bien sûr, je n'en ai jamais pris plus de deux. Pauvre enfant! Toujours la vieille histoire. Subitement amoureuse encore une fois... puis il se révèle que l'homme est déjà marié. J'aurais dû prévoir...

C'était à nouveau la voix de tante Clara, chargée de cette sollicitude simulée.

— Votre nièce a-t-elle donc déjà tenté de se suicider?

— Pas à ma connaissance; pourtant, à notre retour, elle parlait avec violence de se jeter contre un arbre et d'en finir avec tout. Je croyais l'avoir raisonnée mais je suppose qu'avec les névrosés, on ne peut jamais savoir. Le Dr Bowden-Sawyer m'avait avertie qu'elle était déséquilibrée. C'est lui qui la soigne depuis des années. Pourquoi n'est-il pas venu aujourd'hui?

– Le Dr Bowden-Sawyer est en croisière. Je le remplace.

– C'est malheureux. Je voulais éviter un scandale, mais... s'il y a enquête...

Malgré mon état d'hébétude, je me rendis compte de l'irritation sourde qui pointait dans le ton de tante Clara. Elle n'avait jamais supporté de voir ses plans contrariés. Visiblement, elle n'avait pas songé un seul instant que son cher vieil ami pût être absent; dans ces conditions, il lui serait impossible d'obtenir un certificat de décès sans autres formalités.

– Il n'y aura pas d'enquête. Pas si je puis faire quelque chose. Relevez sa manche, je vous prie. Je vais lui faire une piqûre qui devrait arranger cela. Heureusement, son cœur semble battre normalement...

La voix de l'homme était rapide, impatiente, avec une nuance d'irritation.

Je sentis la piqûre de l'aiguille dans mon bras; ce fut un soulagement, puis à nouveau, la main ferme sur mon poignet et je fus rassurée.

– Ne me laissez pas mourir, je vous en prie.

Je fis un effort énorme pour ouvrir les yeux et regarder le visage de l'homme qui était à côté de moi... un visage jeune au profil sec, intelligent, remarquai-je avec joie. Avais-je parlé? M'avait-il entendue? J'essayai encore une fois:

– Je vous en prie. Je ne veux pas mourir... Parce que ce n'est pas vrai. Jonathan... n'est pas marié. Il va m'épouser...

Bien que ma voix fût très faible, il m'entendit. Il dit d'un ton tranchant:

— Ça va aller, mon enfant, mieux que vous ne méritez; sauf la gueule de bois. Quelle idée de patauger dans ces somnifères!

— Ce n'est pas vrai. Jamais... J'ai dit à Jonathan... dans ma lettre. Il sait... (Il serra mon poignet un peu fort, pour me rassurer, puis il me lâcha. Je m'écriai désespérément :) Ne partez pas! Ne me laissez pas... Elle va encore essayer... et je me sens si faible...

M'entendit-il? Il me sembla qu'il s'adressait à tante Clara, puis il dit :

— Puis-je utiliser votre téléphone, lady Cheeseley? Je vais appeler une ambulance. Nous allons la transporter à l'hôpital, par mesure de sécurité.

— Mais non! Ce n'est pas nécessaire. Nous pouvons nous occuper d'elle ici. Nous ne voulons pas donner matière aux bavardages, docteur...

— Belstead. Ryan Belstead. Etant donné ce que vous m'avez dit, je considère que votre nièce doit rester en observation pour quelques jours. Soyez tranquille. Il n'y aura pas de bavardages. Ces cas sont courants.

— Ce n'est pas indispensable... et les infirmières aiment bien papoter. De plus, les hôpitaux sont tellement à court de lits... sans compter ce que sera un choc pour une enfant nerveuse comme ma nièce de se retrouver dans une salle d'hôpital.

— Alors, peut-être préféreriez-vous une clinique privée? Je peux prendre contact avec la directrice de Sainte-Elisabeth. L'établissement est très bien dirigé et le personnel est très efficient.

— N'êtes-vous pas en train de dramatiser, docteur...? Je vous assure que ma nièce sera bien soignée ici et que mes comprimés resteront sous clé à l'avenir.

— Désolé, mais je ne suis pas d'accord, lady Cheeseley; cette jeune fille est une étrangère pour moi et je ne veux pas prendre de risques avec mes malades. Il pourrait y avoir des complications et les suites en seraient graves. Elle pourrait aussi essayer une autre méthode. Pour sa propre sécurité – et la vôtre – il vaut mieux qu'elle reste sous stricte surveillance médicale. L'hôpital? ou Sainte-Elisabeth? A votre choix!

– Bien. Disons Sainte-Elisabeth... mais je trouve que vous agissez d'une façon tout à fait arbitraire... et contre ma volonté; le Dr Bowden-Sawyer...

– Est absent... et je suis responsable de ses malades. Arriver impromptu, sans vérifier les antécédents médicaux de la patiente? Mon expérience m'a enseigné que l'on n'est jamais trop prudent là où des tendances suicidaires sont en jeu. Le téléphone, je vous prie...

Si je n'avais pas été aussi faible, j'aurais éclaté de rire. Pour une fois, ma tante était prise à son propre piège. Elle s'imaginait bien naïvement que j'étais au delà de toute assistance médicale et que je n'étais pas en état de parler pour moi-même; sinon, elle n'aurait pas tant insisté sur mes « tendances suicidaires ». Elle aurait simplement parlé d'un « malheureux accident ».

Or, elle n'avait réussi qu'à alerter ce jeune remplaçant et peut-être avait-elle même éveillé son antipathie. Il n'avait pas l'intention de prendre de risques, qu'il en soit remercié! La piqûre était en train de faire son effet. L'engourdissement régressait. Je sentis mon cœur battre fortement; une nouvelle vie courait dans mes veines.

Quand le médecin revint, je pus lever la tête et lui sourire en lui parlant d'une voix encore incertaine :

– Vous me sauvez la vie, merci. Merci beaucoup.

Il pointa ses épais sourcils noirs sur moi.

– Reconnaissante, hein? C'est une réaction inhabituelle. La plupart interrogent plutôt : « Pourquoi êtes-vous intervenu? Pourquoi ne m'avez-vous pas laissé partir? » Je suppose que ce n'était pas sérieux? Vous vouliez simplement appeler l'attention sur vous, faire peur à votre tante?

– Mais non! Rien de tout cela. Je ne voulais pas mourir. Je vais me marier.

Je jetai un coup d'œil inquiet derrière lui mais tante Clara n'était pas visible.

– Alors, comment expliquez-vous ce qui s'est passé? questionna-t-il d'un ton sceptique. Ce n'est pas par accident que vous avez pris cette forte dose de somnifère.

– C'était dans la mixture d'hier soir... mais les comprimés ne se sont pas entièrement dissous. Je me souviens avoir remarqué le dépôt au fond du verre. Je me suis sentie malade en montant l'escalier. J'ai attendu que la réaction se produise. Autrement... Je me serais endormie profondément... et je ne me serais jamais réveillée. Mais elle ne s'en serait pas tirée comme cela, même si vous n'étiez pas venu. Parce que j'ai écrit à Jonathan... Je l'ai averti. Même le Dr Bowden-Sawyer n'aurait pu ignorer ce que j'avais écrit.

Le médecin me prit le poignet; il fronça les sourcils qui se rejoignirent à la racine de son nez à l'arête fine. Pas agréable à regarder, mais les anges n'ont pas besoin d'être des chérubins, n'est-ce pas?

– Allons, mon enfant. C'est intéressant. Vous avez essayé de dissoudre ces comprimés dans une tisane?

– Non. C'est elle qui l'a fait. Ma tante... Vous ne me croyez pas, bien sûr. Keith Reeding non plus, quand je l'ai vu hier. Il m'a parlé de « manie de la persécution ». C'était dans la ligne de ce que ma tante avait suggéré à son père.

– Keith Reeding? Le notaire?

– Oui. Il l'a cru... naturellement. Mais... vous êtes médecin. Vous savez. Peut-on être névrosé dans deux directions à la fois? Deux directions opposées?

– Par exemple?

– Croire que quelqu'un veut vous tuer et vouloir se suicider? Quel sens cela aurait-il? Une névrose, c'est une idée fixe, n'est-ce pas? Et non deux idées contraires? Ainsi... choisissez, docteur. Mais... notez bien pour le procès-verbal que je ne veux pas mourir. Je veux épouser Jonathan...

– Qui est déjà marié?

– Non. C'est faux. Il l'a été, mais sa femme est morte. Appelez-le au téléphone et demandez-lui, si vous ne me croyez pas. Jonathan March, Hunter Tor, Devon. Il vous dira.. (A mon grand désarroi, ma voix se perdit dans un bâillement prodigieux et mes paupières s'alourdirent...) Mon Dieu! Je vais encore m'endormir. Ne pouvez-vous pas me faire une autre piqûre?

– Pas nécessaire. Tout ira bien. Votre tante va vous donner un café très fort.

– Ah non! Je ne boirai rien du tout dans cette maison... jamais. C'est peut-être insensé, apparemment... Eh bien! On attend de vous que vous ménagiez les déséquilibrés, non?

– Du calme! Bien. Nous reparlerons plus tard, quand vous aurez évacué toute la drogue.

– Pas ici. Je ne veux pas risquer de m'endormir ici. Il peut arriver quelque chose...

– Du calme! Vous serez en sécurité à Sainte-Elisabeth. Tout est au point. L'ambulance sera là d'une minute à l'autre.

– Dieu soit loué! Vous êtes un ange. Un ange gardien. Comme Alison. Elle m'a sauvé la vie quand j'ai eu ma pneumonie. C'est ma cousine... vous savez? Ma tante espérait bien que je mourrais.

J'entendis le tintement d'une cuillère sur une soucoupe, mes paupières lourdes battirent de nouveau. Tante Clara apportait une cafetière et des tasses.

– Elle délire, la pauvre petite? C'est toujours ainsi quand elle a la fièvre. Elle ne sait plus ce qu'elle dit.

– Un cas intéressant, se contenta de conclure le Dr Belstead froidement.

Malgré mon état encore confus, je ne croyais pas réellement que ma tante mettrait quelque chose dans mon café, en présence du médecin, mais il me fallait le convaincre que mes soupçons avaient des racines profondes. Lorsque tante Clara me tendit la tasse et la soucoupe d'un geste engageant, je levai la main avec effort et renversai la tasse volontairement.

Le café chaud éclaboussa les draps et la jupe beige de ma tante. Elle ne put étouffer une exclamation de contrariété.

– Pas de café. Rien de toi. Ne m'approche pas. Tu as voulu que je meure... Mais cela ne t'aurait rien rapporté. J'ai déjà fait mon testament et je l'ai envoyé à Jonathan.

Je m'étais mise à crier, prise d'une panique incontrôlable.

Elle en fut secouée. Deux taches vives apparurent sur ses pommettes et ses yeux étaient venimeux. Si nous avions été seules, je me serais attendue à ce qu'elle empoignât un coussin pour essayer de m'étouffer.

Sa main tremblait en replaçant la tasse sur le plateau; pourtant, elle se départit à peine de son sang-froid.

– Elle délire... Elle ne me reconnaît pas... chère Flora, c'est tante Clara...

– Je sais. C'est bien ce qui me fait peur... docteur... ne la laissez pas me toucher...

– Allons! Du calme! Aucune raison de vous alarmer...

172

Mais il plissait le front tout en me tapotant la main pour me rassurer. Pas idiot, ce médecin au profil sec. Il avait compris que j'avais écrit un document. Il devait bien se demander pourquoi.

– ... Seriez-vous assez aimable pour aller accueillir les ambulanciers, lady Cheeseley...

15

Je n'ai pas gardé de souvenirs nets de la suite de cette journée. On m'installa dans une petite chambre seule et je pris alors conscience que j'étais sauvée; au moins pour l'immédiat. Je suppose que mon organisme commençait à réagir et j'étais heureuse de me laisser aller.

Le Dr Belstead me rendit visite en début de soirée; il s'abstint de me faire la morale et je lui en fus reconnaissante. Je me sentais terriblement faible et épuisée. Il recommanda à mon infirmière de me surveiller de près et de ne laisser entrer aucun visiteur, même pas de parents; je le bénis en silence.

Le matin suivant, ce fut une autre histoire. J'avais bien dormi, sans rêves. Je me sentais de nouveau moi-même et j'avais une faim de loup. Je dévorai mon petit déjeuner si appétissant jusqu'à la dernière miette. Je n'avais vraiment pas de prétexte valable pour rester au lit. Je pouvais me lever et m'habiller. Seulement... je ne pouvais – je ne voulais – pas retourner au Vieux Presbytère.

Il m'était impossible également d'aller chez Jonathan, même si j'avais eu suffisamment de force pour faire les deux cents miles en voiture. Il me fallait attendre.

La jeune et charmante infirmière qui vint chercher le plateau du petit déjeuner me dit que j'avais l'air « beaucoup mieux ».

– Oui, je me sens mieux aussi. Que fais-je maintenant?

J'étais assez perplexe.

– Vous reposer. Le médecin va passer vous voir. Je vous ai apporté quelques revues pour vous distraire.

Le Dr Belstead vint à 11 heures; j'étais en train de boire du café au lait. Avec ses cheveux poil de carotte, ses lourds sourcils noirs et ses yeux bruns et vifs, il me faisait penser à un terrier écossais. Il était court et trapu, il avait l'air de quelqu'un dont l'énergie est rigoureusement maîtrisée. Il devait avoir à peine la trentaine et je me sentis tout à coup gênée en me remémorant la manière dont je m'étais cramponnée à lui, comme à une bouée de sauvetage, l'implorant de ne pas m'abandonner.

– Bonjour docteur, dis-je avec un sourire forcé.

– Bonjour! Comment vous sentez-vous? m'interrogea-t-il en s'asseyant à côté de mon lit.

– Pratiquement normale, merci. Je suis normale, vous savez. Dans la vie quotidienne, je veux dire. Je suppose que vous avez pensé que j'étais hystérique, hier matin... mais ce n'était que de la panique.

– Je m'en suis douté. Voudriez-vous m'expliquer la raison de cette mise en scène?

Son ton sec me déconcerta.

– Mise en scène?

– Oui. Ce n'était pas une véritable tentative de suicide, n'est-ce pas? Combien de comprimés avez-vous avalés? Pas assez pour vous supprimer.

– C'est sans doute parce qu'ils ne se sont pas dissous complètement. Elle n'a pas eu le temps. Elle a dû les jeter à la hâte dans le verre, pendant que j'étais en haut en train de ranger des dossiers. Je me souviens avoir remarqué un dépôt au fond, après

174

avoir avalé d'un trait cette horrible mixture écœurante.

– Elle? Je suppose que vous voulez dire votre tante?

– Bien sûr. Personne d'autre n'a de raisons de m'éliminer.

– C'est une accusation très sérieuse.

Il m'observait comme s'il voulait fouiller dans ma tête.

– Je pose simplement un fait. Je n'accuse pas tante Clara. A quoi cela me servirait-il? Ce serait sa parole qui vaudrait et non la mienne; tout le monde la croirait, sauf Jonathan. Elle a convaincu tout le monde que je suis névrosée et hystérique. C'est bien ce que vous pensez aussi, n'est-ce pas, docteur?

– Je conserve ma liberté de jugement. Je n'ai pas d'indications suffisantes pour me permettre de tirer une conclusion certaine. Il est indubitable que vous étiez angoissée hier. Ce n'était pas un jeu. Mais ce n'était pas non plus la preuve que vous n'aviez pas pris vous-même ces comprimés. Vous pourriez avoir agi sur une impulsion et le regretter ensuite.

– Je n'avais pas la moindre raison. Jonathan n'est pas marié. Il est veuf.

– C'est ce qu'il m'a assuré.

– Ah? Vous avez parlé à Jonathan?

Mon cœur se mit à battre violemment.

– Je l'ai appelé, comme vous me l'aviez suggéré. J'ai eu le plus grand mal à l'avoir au bout du fil. J'ai réussi hier soir à 10 heures.

– Il est fermier et il est avec ses moutons la plus grande partie de la journée. Les agnelles mettent bas. Qu'a-t-il dit?

– Il m'a semblé très inquiet à votre sujet et soulagé d'apprendre que vous étiez dans une clinique. Il m'a conseillé – ou plutôt ordonné – de vous garder ici.

– A-t-il expliqué que je n'avais aucun motif de me suicider?

– Pas entièrement. Il paraissait frappé et perplexe.

– Alors, c'est qu'il n'a pas reçu ma lettre. Il l'aura probablement ce matin. Je l'avertissais qu'il pourrait bien m'arriver quelque chose. Je lui avais déjà dit que j'avais peur de ma tante mais il ne m'avait pas prise au sérieux. Il ne la connaît pas. Il ne l'a rencontrée que tout récemment. L'argent n'intéresse pas Jonathan; dans ces conditions, comment pourrait-il comprendre l'obsession de ma tante à ce sujet? Ce n'est qu'en parlant avec les Reeding que j'ai appris que je disposais d'un capital assez considérable.

– De l'argent qui vous appartient?

J'approuvai d'un signe de tête. Je lui racontai l'histoire de mon capital, aussi succinctement que je pus.

– C'est surtout à cause d'Alison que tante Clara a tellement envie de s'emparer de cet argent. Il semble qu'elle n'ait rien compris au caractère de sa fille.

– Alison?

Devant son air interrogateur, je dus expliquer en quoi consistait la profession d'Alison et parler de sa disparition inopinée.

– Alison a fait preuve de cruauté en laissant sa mère dans l'angoisse. Tante Clara n'avait de pensées que pour sa fille et je suppose qu'elle a fini par perdre complètement le sens de la mesure vis-à-vis d'Alison... et de moi, par conséquent. Elle est persuadée que, si elle était assez riche, elle pourrait amener Alison à abandonner sa carrière pour rester à la maison. Ma mort arrangerait tout, selon elle. Dieu sait qu'elle sera sa réaction si, comme je le pressens, Alison s'est enfuie avec un homme que tante Clara n'accepte pas! Cela pourrait la rendre folle.

Je pensais, j'espérais peut-être qu'il réfuterait cette idée. Au contraire, il plissa le front.

– C'est possible. Si vos présomptions sont justes, et vous me semblez être une jeune femme intelligente et réceptive.

– Merci. Alors... Que vais-je faire?

– Rester ici pendant quelques jours... ou au moins jusqu'à ce que votre fiancé prenne contact avec vous. Pour votre sécurité et celle de votre tante, vous ne devez pas vous rencontrer. J'en ai profité pour consulter sa fiche de maladie en même temps que la vôtre. Le Dr Bowden-Sawyer l'a déjà soignée pour hypertension pendant assez longtemps. Un choc grave pourrait être désastreux. Est-ce impossible de toucher sa fille?

– La directrice de son journal doit savoir où se trouve Alison mais je soupçonne Alison de lui avoir fait promettre le silence.

– Bien! Je passerai voir lady Cheeseley dans la journée, sous le prétexte de lui donner de vos nouvelles. Il se pourrait qu'elle ait davantage besoin de soins médicaux que vous. Vous avez été sous tension mais vous êtes à l'âge où le ressort est bon. Néanmoins, un jour au lit ne vous fera pas de mal. Vous vous lèverez demain, si vous vous en sentez la force.

– Je n'ai pas de vêtements ici. Pas même une robe de chambre. Pourriez-vous demander à la gouvernante de ma tante d'empaqueter quelques affaires?

– C'est entendu!

J'avais la perspective d'une longue journée devant moi, sans rien pour m'occuper sinon mes sombres pensées... mais un télégramme arriva dans l'après-midi. Je le décachetai de mes doigts tremblants.

« Reçu lettre. Arrive demain. Fais attention à toi. Tout mon amour. Jonathan. »

Me répétant sans cesse ces mots, je me dis qu'un message aussi bref pouvait faire l'effet d'une transfusion sanguine. « Tout mon amour... » Il n'aurait pas écrit cela s'il ne l'avait pas pensé. Pourquoi avais-je eu si peur qu'il changeât d'idée? Il allait venir demain... venir me voir... ou me chercher? Venir, parce qu'il avait senti que j'avais terriblement besoin de lui... ou parce qu'il avait obtenu la licence et désirait ardemment que je sois à lui? Etait-ce le coup de téléphone du Dr Belstead ou ma lettre qui lui avait inspiré cette réponse tendre?

Encore des doutes! me réprimandai-je. On dit que les amoureuses croient ce qu'elles désirent croire. Pourquoi m'était-il donc si difficile de croire en l'amour de Jonathan alors que j'étais absolument certaine du mien? Parce que je ne comprenais pas qu'un homme puisse m'aimer? Mais... justement; Jonathan n'était pas « un homme ». Il était différent. Si mon éducation m'avait rendue exagérément timide, son passé malheureux n'avait-il pas eu le même effet sur lui? Au fond, n'étions-nous pas semblables?

Le Dr Belstead s'était souvenu de ma demande. Après le thé, Cook apparut avec une valise. Elle était au service de tante Clara depuis des années et, pourtant, je savais très peu de choses sur elle, sauf qu'elle avait perdu son mari alors qu'elle était encore très jeune. Elle était taciturne, un peu froide, compétente; elle ne marquait guère de sollicitude ou d'intérêt envers ma tante ou moi-même. Ce qui n'empêchait pas tante Clara de déclarer à ses amies qu'elle lui était toute « dévouée ».

J'en ai toujours douté. Si Cook – comme on l'appelait, son nom était en réalité Mrs Heath – avait un faible pour quelqu'un, je pensais que c'était plutôt pour Alison.

Cook déposa ma valise par terre, à côté de la table de toilette, et son air lugubre et rancunier me fit tressaillir :

– Merci beaucoup. Je suis désolée de vous avoir dérangée.

– Ce n'est pas moi que vous avez dérangée, miss Flora. C'est Madame. Elle était complètement bouleversée, tellement vous lui avez fait peur. Vous n'auriez pas dû faire cela. Elle est vraiment misérable, aujourd'hui. Le jeune médecin lui a ordonné de rester au lit pour quelques jours, avec un régime léger.

Devant sa mine froide, je ne pus que répéter avec embarras :

– Je suis désolée.

– Vous le pouvez. Comme si elle n'avait pas assez de soucis avec miss Alison, sans que vous vous en mêliez aussi! Les hommes! Il n'y en a pas un qui en vaille la peine. Oh! oui. Vous l'apprendrez! J'espère que j'ai mis ce dont vous avez besoin, vous ne m'avez rien dit de spécial.

Jamais encore je ne l'avais vu faire preuve d'autant de sollicitude à mon égard. J'essayai d'être conciliante :

– Je suis désolée. Tout ira bien. Le médecin a dit que je pourrai me lever demain, mais je n'avais rien à me mettre sur le dos.

– Vous serez à la maison demain?

– Non. Je ne pense pas.

– C'est mieux. Vous ne feriez qu'énerver encore Madame. Elle n'a pas arrêté de faire les cent pas, presque toute la nuit, et de parler toute seule. Elle s'en voulait d'avoir laissé traîner ces maudits comprimés. Quand on vous a vue affalée, comme un cadavre, elle croyait bien que vous étiez partie et, à son âge, les chocs peuvent être dangereux. Et moi aussi, j'en étais toute remuée. C'est comme je l'ai dit à Madame. Aujourd'hui, les jeunes n'ont de considération pour personne.

Que pouvais-je dire? Si j'étais morte, Cook aurait été un témoin idéal pour tante Clara. Elle ne doutait pas un seul instant que j'avais tenté de me suicider par déception amoureuse. Je me contentai de conclure banalement:

– J'espère que ma tante va se remettre bientôt. Merci encore pour les affaires.

Malgré sa rancune personnelle à mon égard, son choix avait été judicieux, je m'en aperçus aussitôt après son départ. Elle avait pensé à mes affaires de toilette, à mon maquillage, ma brosse, mon peigne, ma robe de chambre, mes pantoufles et une chemise de nuit propre. Elle avait aussi mis mon tailleur neuf, un très beau tweed couleur bruyère, et la blouse en jersey à manches courtes assortie à mes meilleures chaussures et mon sac, et également une paire de chaussures de marche.

Jonathan avait deux cents miles à parcourir en voiture; il arriverait probablement dans le courant de l'après-midi, mais j'étais trop agitée pour rester au lit le matin suivant. A 10 heures, j'étais debout, habillée... et énervée. Je brûlais de revoir mon amour mais je ne réussissais pas à écarter les doutes qui me tourmentaient. Je n'avais jamais rencontré Jonathan ailleurs qu'à Hunter Tor. Là-bas, tout avait été facile et naturel entre nous. Dans un autre environnement, nous verrions-nous différemment? Serions-nous hésitants ou embarrassés?

A chacune de mes visites à la ferme, je portais des tricots et des pantalons. J'avais bêtement peur qu'il trouvât mes jambes trop longues et trop minces quand il me verrait dans mon tweed. A Devon, le vent, la pluie et le froid avaient joliment coloré mes joues. A présent, peut-être en raison de mon accident, ou parce que la pièce était surchauffée, j'étais beaucoup trop pâle. J'essayai bien de mettre un peu de rouge, mais cela faisait désespérément artificiel et je l'ôtai aussitôt.

— Allons, ma chère, asseyez-vous et buvez ce café chaud. Détendez-vous; ne vous fatiguez pas avant que votre petit ami n'arrive.

C'était la jeune infirmière qui m'admonestait gentiment. Je souris malgré moi, l'expression « petit ami » appliquée à Jonathan me paraissant tellement inadéquate.

— Je n'arrive pas à faire tenir mes cheveux... et j'ai l'air d'une sauvage.

— Mais non, vous êtes très mignonne. Naturelle et séduisante, me dit l'infirmière pour me rassurer.

Je ne pouvais pas lui dire que les autres amours de Jonathan avaient été de véritables beautés. Je me désolais :

— Je suis trop pâle.

— Vos yeux sont comme des étoiles et vous aurez des couleurs quand vous le verrez. Qui voudrait ressembler à une « noceuse »? Vous faites partie de ces filles que l'on épouse... de ces femmes que les hommes recherchent, pour les garder.

Etait-ce vrai pour Jonathan? me demandai-je. Après Sibylle et Maria, était-il prêt à se marier avec une fille si ordinaire?

Je me forçai à m'asseoir et à boire mon café, mais cela n'eut aucun effet sur mon agitation intérieure. J'avais l'impression d'être sur une scène, un soir de première, d'attendre que le rideau se lève... et de n'être pas sûre de mon rôle...

La porte s'ouvrit et une infirmière jeta un coup d'œil circulaire en souriant d'un air espiègle.

— Tout va bien? Il est ici...

Puis elle fit quelques pas en arrière en faisant un geste de la main.

— Qui? Pas Jonathan?

Je me sentis faible tout à coup; il marchait déjà

vers moi, et l'infirmière refermait la porte derrière lui.

– Jonathan! Si vite... Toi...

– Je suis parti ce matin à 6 heures, les routes étaient relativement dégagées. Comment vas-tu? J'étais si inquiet...

Il se tut, sans me tendre les bras ni même les mains, il me regardait, figé.

– Tu es différent, dis-je stupidement.

Il s'était fait couper les cheveux et tailler la barbe; il portait un complet marron bien coupé, mais visiblement assez ancien. Il y avait quelque chose de vaguement démodé dans la coupe du veston, de même que dans sa chemise couleur fauve et sa cravate marron. Il devait y avoir bien longtemps qu'il n'avait pas porté de vêtements ajustés. Il avait l'air d'un professeur plus que d'un fermier... il ressemblait au Jonathan de Sibylle, pas au mien. Il n'avait certainement pas de barbe quand il était le mari de Sibylle... ou quand il aimait Maria. Il était imberbe sur cet instantané pris à côté de la piscine... Mes pensées se bousculaient dans la plus grande confusion. La voix de Jonathan me parvint à nouveau :

– Différent? Pas à la hauteur pour concourir? Pas ce que tu attendais?

– Moins hirsute. C'est tout. Je regrette ton côté hérisson, Jonathan...

J'aurais voulu crier : « C'est merveilleux de te voir... » mais il m'intimida subitement. J'étais hésitante à présent.

– Je suis désolée que tu aies été inquiet...

– Désolée? Tu ne pensais pas que je le serais? Il y a eu cet appel alarmant de ton médecin, et puis ta lettre, le matin suivant. J'ai à peine dormi ces deux dernières nuits. Que s'est-il donc passé? Une forte dose de somnifère? Pourquoi? Tu me disais que tu n'en prenais jamais.

– Mais non. Jamais. On me l'a administré – ma tante – dans un verre de lait malté. Je te l'avais dit, n'est-ce pas? Je craignais qu'elle ne tentât quelque chose de ce genre.

– Ciel! Tu veux dire que c'est elle qui l'a fait? Ce n'était pas une mise en scène de ta part, comme ton médecin semblait le croire?

– Mais bien sûr que non. Pourquoi aurais-je fait une chose aussi stupide? Aussi insensée? Je me suis sentie toute bizarre. Je pensais que j'étais en train de mourir. Je crois que je serais morte...

– Dieu me pardonne! Si je t'avais perdue! (Il me saisit presque brutalement, me serrant contre lui d'un geste possessif.) Tu avais raison! Je n'aurais pas dû te laisser repartir avec elle. Cette femme doit être folle. Elle ne devrait pas être en liberté.

– Je pense que c'est l'anxiété qui lui a fait perdre la tête, comme je l'ai dit au Dr Belstead. Il va s'occuper d'elle... mais je ne peux pas revenir dans cette maison.

– Tu n'iras nulle part ailleurs que chez moi. J'ai apporté la dispense. Nous pouvons nous marier dès aujourd'hui, si tu te sens en forme.

– Oh oui! Oh! Jonathan... Est-ce aussi ce que tu veux?

– Mon tendre amour, pourquoi serais-je là?

Il allait m'embrasser quand la porte s'ouvrit violemment et heurta la table de nuit. Je sursautai et me retournai; mon émoi et ma gêne se muèrent en appréhension quand je vis ma tante fondre sur nous. Elle était toujours aussi impeccable, mais son visage était congestionné et ses yeux brillaient, comme si elle avait eu la fièvre.

– Fille perverse! Perverse et ingrate et sans cœur! Tu savais tout... et tu m'as laissée dans l'angoisse. Je ne te le pardonnerai jamais... jamais! Comploter avec ma propre fille pour me tromper! Perverse... perverse...

– Tante Clara! Je ne sais pas ce que tu veux dire. Je n'ai pas...

– Inutile de mentir. Cela suffit. J'ai lu sa lettre. Elle avait tapé l'adresse à la machine – pour m'induire en erreur – mais j'ai vu le timbre. J'ai ouvert la lettre. C'était mon droit. Il fallait que je sache...

– La lettre? Quelle lettre? D'Alison? Alison m'a écrit?

– Tu joues la surprise? Mais tu ne m'auras pas. Pas cette fois. Tu savais. C'est même toi qui as attiré mon attention sur ce dossier. Tu te réjouissais dans ton for intérieur, je n'en doute pas, créature mauvaise et sans cœur. Menteuse, renfermée... comme ta mère... triomphante de moi...

Elle semblait avoir perdu complètement son sang-froid. Les mots jaillissaient d'elle comme les vagues se jettent sur la digue en période de tempête. Ses veines sur ses tempes étaient saillantes comme des cordes et ses mains tremblaient en ouvrant son sac pour en tirer une lettre qu'elle me lança.

– Tante Clara, tu t'égares. Assieds-toi. Honnêtement, je ne sais pas de quoi tu parles ni pourquoi Alison m'aurait écrit.

– Ne mens pas! Tu savais... lis! Oh! C'est terrible! Alison... ma chérie... mon bébé...

Elle émit un son confus, comme si elle étouffait.

– Cela suffit! Asseyez-vous et faites un effort pour vous maîtriser, lady Cheeseley. Du calme! Vous avez reçu un choc... mais ce n'est pas une raison pour attaquer votre nièce.

Jonathan s'était placé entre nous, il avait pris tante Clara par le bras et la dirigea fermement vers une chaise, près du lit.

– Mon bébé... ma chérie... et cet homme affreux. Si seulement on m'avait mise sur la voie, je l'aurais empêchée... mais ils s'en sont bien gardés. Ils m'ont trompée volontairement.

Elle s'affala sur la chaise, se balançant d'arrière en avant, comme sous le coup d'une douleur physique intense.

Je défroissai en hâte la lettre et je lus, les yeux écarquillés d'étonnement; en effet, par le plus pur des hasards et sans trop y croire moi-même, j'avais résolu le mystère d'Alison. Elle s'était bien enfuie avec « l'insaisissable Quin ». « Fais-le comprendre à ma chère maman aussi doucement que tu le peux... si elle ne l'a pas encore deviné. Je parie qu'elle soumettra cet homme, Brown, à un interrogatoire serré quand il ramènera ma Mini et lui remettra ma missive volontairement évasive. J'ai obéi à une impulsion, naturellement. J'étais allée voir Quin à Southampton, je comptais prendre l'avion pour les Bermudes et le rejoindre quand il serait libre. Il me dit alors que je lui manquerai tellement... et me demanda de partir avec lui. Pourquoi n'attendrions-nous pas ensemble? Le principal était que personne ne vînt à l'apprendre. Je n'en avais jamais parlé à quiconque, mais j'ai été folle de cet homme dès notre première entrevue, juste avant qu'il épouse cette... disons cette « jardinière consacrée », pour ne pas te choquer. J'ai réalisé brusquement que je ne supporterais pas de le voir partir seul sur son bateau, sans moi. J'ai téléphoné à ma directrice et elle a très bien compris, me jurant de ne pas me trahir. Je n'ai pas osé être franche avec maman. Elle aurait tout mis en œuvre pour bouleverser mes plans. Tu connais ses principes rigides. Quoi qu'il en soit, je suis comblée et j'espère que le titre de noblesse la consolera. Pour moi, Quin est le seul et l'unique... »

J'étais médusée, bien sûr, mais je me souvenais de ces photos qu'elle avait classées dans son dossier et des réflexions qu'elle avait consignées.

. – Tu n'as pas lieu d'être si triste, tante Clara. Alison disait de lui que c'était un idéaliste... et il avait l'air séduisant sur les photos... pas un noceur. Alison est visiblement très amoureuse... et elle sera comtesse un jour.

– Sa quatrième épouse! Mon Alison chérie est une quatrième épouse. Qu'est-ce qu'un mariage dans ces conditions? Tu savais... mauvaise, ingrate... et tu ne m'as pas avertie... Je voudrais... je voudrais que tu sois morte...

La voix de tante Clara s'éraillait.

– Je ne savais rien. C'était simplement une idée en l'air. Et Alison t'a écrit. Il semble que ce steward ait vendu la Mini et détruit la lettre...

Tante Clara sanglotait maintenant, en pleine crise de nerfs, tout son corps était secoué et elle avait l'air très malade.

– Je vais appeler une infirmière... et je crois que je devrais demander le médecin. C'est le choc... après ces semaines d'attente...

Une demi-heure plus tard, ma tante était au lit, sous traitement sédatif.

– Une coronarite légère. C'était à craindre depuis quelque temps. Rien de sérieux, mais elle a besoin de soins attentifs. Non, vous ne pouvez rien faire. Elle sera bien ici, nous dit le Dr Belstead.

Jonathan et moi quittâmes alors la clinique, main dans la main. Tandis qu'il mettait le moteur de sa voiture en marche, Jonathan me regarda, dans l'expectative.

– Où allons-nous maintenant? Allons-nous chercher un pasteur et nous servir de notre dispense? A toi de jouer, mon amour.

– Si je suis vraiment, sincèrement ton amour, dans ce cas, ma réponse est oui, sans hésiter. Nous trouverons une cure pas très loin d'ici, près du Vieux Presbytère. Nous pourrons même parquer la voiture devant le temple.

Il ne dit plus un mot jusqu'à ce que nous fussions arrivés. Avant de sortir de l'auto, il se tourna pour me regarder droit dans les yeux.

– Je t'aime, Flora. Plus – beaucoup plus – que je croyais pouvoir jamais aimer. Mais... il faut que tu saches une chose avant de me prendre pour toujours... une chose atroce et irréparable parce que tous ceux qui étaient concernés sont morts...

– Tu veux parler de Maria et de Johnny Just? Je sais...

– Tu sais?

– J'ai lu les dossiers d'Alison sur cette affaire. N'en parlons pas. Tu n'as pas tué cette pauvre fille. C'est tout ce qui importe.

– Tu sais?... Non. Je n'étais pas responsable de la mort de Maria ni de celle de mon oncle... mais je n'ai pas pu le prouver. Johnny...

– Etait coupable?

– Je pense que oui. J'ai entendu sa voiture, bien que je ne l'aie pas vue. C'était une voiture de sport, le moteur faisait un bruit bien particulier. Sans doute aurais-je tout raconté à la police si j'avais été arrêté, et ils auraient bien réussi à détruire son alibi. Mais... j'aimais mon oncle et Johnny aussi. Je n'ai pas voulu que la vie de Johnny soit gâchée... à cause de Maria. Elle n'en valait pas la peine.

– Tu l'aimais...

– Pendant un certain temps... jusqu'au jour où je me suis rendu compte qu'elle n'était qu'un gracieux papillon qui voletait ici et là à la recherche du nectar. Mon oncle l'avait compris tout de suite.

– Et Johnny... qu'est-il devenu?

– Il s'est trouvé impliqué dans une rixe, en Amérique du Sud, à cause d'une autre fille, et il a tué un homme, accidentellement. Il s'est éclipsé sur un petit aéroplane piloté par un ami et puis plus rien... Plusieurs mois après, on a retrouvé la carcasse sur le versant boisé d'une montagne. On trouva aussi le corps du pilote, mais pas celui de Johnny. Il est possible qu'il ait pu se sauver, mais je crois plus probable qu'il a été tué aussi. Pauvre Johnny...

— Disons plutôt : pauvre Jonathan ! Tu as surmonté l'épreuve...

— J'ai survécu. J'ai écourté mon nom, de Maurcheston en March... et j'ai recommencé. Par quelle voie ta cousine est-elle arrivée à la conclusion que j'étais Johnny, je l'ignore.

— D'après les photos que j'ai vues, la ressemblance était assez frappante. Quoi qu'il en soit, je suis heureuse qu'elle se soit trompée; sans cela, je ne t'aurais jamais rencontré. J'en suis profondément reconnaissante à Alison.

— Pas autant que moi ! Allons trouver le pasteur. Marions-nous et rentrons chez nous.

— Chez nous ! Oh ! Jonathan, c'est tout ce que je désire... Rien qu'être à la maison, avec toi !

Romans d'amour

L'amour : les meilleurs auteurs lui ont consacré leurs plus belles pages.

Demandez à votre libraire le catalogue semestriel gratuit.

ARLEN Leslie
Les Borodine (inédits)
1 - Amour et honneur (1226★★★★)
Au siège de Port-Arthur, un journaliste américain tombe amoureux d'Ilona, jeune princesse russe.
2 - Guerre et passion (1314★★★★)
Dans ce monde en flammes, les héros s'aiment et se déchirent.
3 - Rêves et destin (1364★★★★)
La vengeance des nouveaux maîtres de la Russie va poursuivre les Borodine au delà des frontières de leurs pays natal.
4 - Espoir et gloire (1425★★★★)
Dans l'Allemagne nazie, la guerre surprend certains des Borodine.

CARRIÈRE Jean-Claude
Lettres d'amour (1138★★★★)
Les plus belles pages inspirées par l'amour.

DELLY
Mitsi (890★★★)
Blessée dans son honneur, Mitsi pourra-t-elle pardonner à celui qu'elle aime ?
L'infidèle (1004★)
La fidélité à une épouse morte peut-elle interdire l'amour ?
Les deux crimes de Thècle (1015★★)
Au château de Mieulles les haines s'exacerbent jusqu'au drame.

Le fruit mûr (1053★)
Ecrasé par sa mère et sa sœur, pourra-t-il s'épanouir et rencontrer l'amour ?

Une misère dorée (1102★★★)
Une radieuse jeune fille aux prises avec des haines ancestrales dans un manoir autrichien.
La douloureuse victoire (1124★★)
Peut-on aimer une femme, alors que Dieu est tout amour ?
La lune d'or
 (2 t. 1136★★★ et 1137★★★)
Dans la pampa, des hommes luttent pour punir les crimes d'un mauvais génie.
L'héritage de Cendrillon (1182★★★)
La méchanceté d'une femme va réduire Magdalena à l'état de Cendrillon.
Comme un conte de fées (1254★★)
Un pays enchanté où la vie avec le rêve se confond.

HEAVEN Constance
Le château sous la lune (995★★★)
A Vienne, Lisa redécouvre l'amour tandis que naît une révolution.
Marietta (1125★★★)
Dans ce château d'Ecosse, la mort rôde...
La reine et le gitan (1169★★★★)
Les amours tumultueuses d'Elisabeth Ire d'Angleterre.
Le maître de Ravensley (1242★★★★)
Alyne, aux cheveux d'or clair, est revendiquée par le nouveau maître de Ravensley.

HEYER Georgette
Pour l'amour de Cressy (1352★★★★)
Il est risqué, pour un jumeau, de se faire passer pour son frère auprès de sa fiancée.

HOLT Victoria
La nuit de la septième lune
(1160★★★★)
Helena a vécu un rêve, au réveil il ne reste qu'un cauchemar.
Ma rivale, la reine (1363★★★★)
L'amour va dresser contre Elisabeth Ire sa nièce et dame d'honneur, la belle Lettice.

JAGGER Brenda
Les chemins de Maison Haute
(2 t. 1436★★★★ et 1437★★★★)
Mariée de force à seize ans, elle lutte pour son bonheur.

KAYE M.M.
Pavillons lointains
(2 t. 1307★★★★ et 1308★★★★)
Au temps des Maharadjahs, Juli, princesse indienne, et Ash, le jeune Anglais élevé comme un Hindou, luttent pour leur amour.

KONSALIK Heinz G.
Amours sur le Don (497★★★★)
Un journaliste allemand est aimé par la belle Helena, agent du K.G.B., et par Nioucha, la sauvage fille cosaque.
Docteur Erika Werner (610★★★)
Par amour, elle s'accuse à la place de son amant indigne.
L'amour est le plus fort (1030★★★)
A Paris, un peintre sauve Eva du suicide. Pourra-t-elle le sauver à son tour ?
Amour cosaque (1294★★★)
A l'époque d'Ivan le Terrible, la passion indomptable d'une jeune Russe durant la conquête de la Sibérie.
Le mystère des Sept Palmiers
(1464★★★)
Trois hommes puis une femme s'échouent sur un île déserte.

McCULLOUGH Colleen
Les oiseaux se cachent pour mourir
(2 t. 1021★★★★ et 1022★★★★)
L'épopée vécue par Meggie et Ralph au cours de cinquante ans d'aventures et de passions à travers le continent australien.
Tim (1141★★★)
L'histoire d'un amour que la société a condamné par avance.

MYRER Anton
Les derniers jours de l'été
(2 t. 1073★★★★ et 1074★★★★)
Peut-on épouser la fille qu'on aime quand on craint d'être son frère ?

SEGAL Erich
Love story (412★)
Le roman qui a changé l'image de l'amour.
Un homme, une femme, un enfant
(1247★★)
Un père peut-il introduire dans sa famille ce fils dont il apprend l'existence ?

STEEL Danielle
Leur promesse (1075★★★)
Reconnaîtra-t-il sa fiancée à qui la chirurgie esthétique a donné un nouveau visage ?
Une saison de passion (1266★★★★)
Kate est déchirée entre son mari infirme et Nick, l'homme de sa vie.

VALENTIN Louis
Les roses de Dublin (d'après la série télévisée de Pierre Rey) (1365★★★★)
Il a connu une jeune Irlandaise une nuit, il ne se doute pas que leur fils a maintenant dix ans.
**et tous les romans de
Barbara Cartland
et Guy des Cars**